1 MONTH OF
FREE
READING

at

www.ForgottenBooks.com

By purchasing this book you are eligible for one month membership to ForgottenBooks.com, giving you unlimited access to our entire collection of over 1,000,000 titles via our web site and mobile apps.

To claim your free month visit:

www.forgottenbooks.com/free1178094

ISBN 978-0-331-46857-1
PIBN 11178094

DD 801
B77 G6

Vorrede.

Es schien mir wünschenswert, vor der Veröffentlichung des zweiten Bandes meiner Wirtschaftsgeschichte des Schwarzwaldes eine Darstellung der Verwaltung Maria Theresias und Josephs II. gesondert erscheinen zu lassen. Während ich in ihr die Darstellung der Verwaltungsorganisation, der Finanzgeschichte, der bäuerlichen Verhältnisse nur kurz in den wesentlichsten Erscheinungen gebe und die eingehende Darstellung mir vorbehalte, habe ich die kirchliche Gesetzgebung und Verwaltung eingehender behandelt, da ich auf diese später doch nur wenig zurückkommen kann. Anlaß hierzu hat mir die vortreffliche Arbeit von F. Geier über die Durchführung der kirchlichen Reformen Josephs II. gegeben. Zu dem reichen Material, das Geier namentlich aus dem Konstanzer und Wiener Archiv beigebracht hat, konnte ich auf sehr vielen Punkten weiteres hinzufügen, das mich vielfach zu anderen Ansichten als den seinigen führte. Außerdem ist der Zweck Geiers, den er auch vollständig erreicht hat, in erster Linie ein kirchenrechtlicher, der meine ein historischer. Die vorliegende Arbeit beruht in erster Linie auf den unerschöpflichen Beständen des Generallandesarchivs. Daß ich auch aus dem Wiener Archiv wertvollstes Material erhalten habe, verdanke ich Karl Grünberg, der die für mich in Frage kommenden Akten durchgesehen und zum Teil mit aufopfernder Hülfsbereitschaft abgeschrieben hat.

Heidelberg, Dezember 1906.

Eberhard Gothein.

I.

Die Zuſtände des Breisgaus im 18. Jahrhundert.

Öſterreichs Geſchichte iſt von jeher durch das Zuſammenwirken partikulariſtiſcher Elemente, wie ſie durch die Eigenart der einzel= nen Länder gegeben ſind, und zentraliſierender Tendenzen, indem die Regierung die auseinanderſtrebenden Kräfte zu einheitlichem Zwecke zuſammenzuhalten ſucht, beſtimmt worden. Sie zeigt daher ein ewiges Auf und Ab; Perioden äußerſter Schwäche, ja eines drohenden Zerfalles, wechſeln plötzlich mit ſolchen einer ungeahnten Machtentfal= tung. Aus dieſer ihrer Eigenart geht hervor, daß die Geſchichte der einzelnen Länder, aus denen ſich das lockere Gefüge der Geſamt= monarchie zuſammenſetzt, hier wichtiger iſt als anderwärts; denn in verſchiedener Weiſe, wenn auch von gleichen Ideen bewegt, mußten ſich in einer jeden Provinz die Abſichten der Regierung durchſetzen. Öſter= reichs Geſchichte iſt, von Diplomatie und Krieg abgeſehen, Länder= geſchichte.

Es iſt das kleinſte der öſterreichiſchen Gebiete, das jetzt ſeit einem Jahrhundert von der übrigen Monarchie getrennt iſt, an deſſen Schickſalen ich hier die Arbeit der beiden größten Regenten, die dieſer Staat beſeſſen hat, erläutern möchte. Ihrer Bedeutung nach waren die Vorlande größer als ihr Umfang. Einſt hatte bei der Erbhuldigung in einem Augenblick, als er glauben konnte die geſamten Länder Karls V. und Ferdinands I. wieder vereinigen zu können, Kaiſer Karl VI. den Landſtänden des Breisgaus die Verſicherung er= neuert: Die Habsburger würden ſtets die Vorlande als ihres Hauſes

erstes und ältestes Partimonium betrachten; auch Maria Theresia hat
gern diese Erinnerung gepflegt, und erst Joseph, dessen realistischer
Rationalismus sich durch keinerlei historische Traditionen, von denen
er sich überall gehemmt sah, bestimmen ließ, hat auch diese abgeschüttelt.
Wenn auch er von den Vorlanden als „dem Vorposten der Monarchie"
sprach, so dachte er wohl mehr daran, daß man gerade Vorposten leichter
zurückzieht und aufs Spiel setzt als geschlossene Truppenkörper. Jedoch,
auch abgesehen von einer solchen ideellen Wertschätzung war selbst noch
der Rest der Vorlande, auch nachdem erst die Schweizer Besitzungen,
dann im westfälischen Frieden der Elsaß verloren gegangen waren, für
die Großpolitik des österreichischen Staates höchst wichtig. Durch sie
hing er mit dem Reiche zusammen, durch sie erstreckte er sich bis in
den Westen Europas, grenzte er mit Frankreich.

In dem interessanten Briefwechsel, den Maria Theresia mit ihrem
Vertrauensmann, dem Bischof von Konstanz, Kardinal Rodt über die
Verhältnisse der Vorlande führte[1], setzte dieser wohl auseinander: Vor
den Toren von Augsburg begännen die Vorlande und erstreckten sich
bis an den Rhein, ihre Vermischung mit anderen Territorien selber
sei ein Vorteil, „denn sie autorisiere das Erzhaus zu vielen in die
Staatskunst einschlagenden Unternehmungen", namentlich könne man
das protestantische Württemberg dadurch immer in gewissen Schranken
halten. Selbst die Fülle von kleinen Differenzen und altverschleppten
Prozessen, die diese Gemengelage mit sich brachte, diente der kaiserlichen Regierung, die einen zu ängstigen, den andern Gefälligkeiten
zu erweisen und in jedem Falle die Nachbarn in die Kreise der
österreichischen Politik hineinzuziehen. Es war im Sinne auch der
Kaiserin, wenn der Kardinal aus den Ereignissen alter wie neuer
Zeit den Schluß zog: „Es ergibt sich, daß diese Lande nicht nur
den nexum mit dem schwäbischen, sondern mit den gesamten assozi-
ierten fünf Kreisen, ja mit dem gesamten Reich selbsten erhalten und
dies veranlaßt haben, derselben sich an = und an denen Kriegen gar
auch Anteil zu nehmen". Hatten sich doch in den Vorlanden und guten
Teils um sie als Preis so viele Kriege Österreichs und des deutschen
Reiches abgespielt.

Maß man allerdings die Wichtigkeit nach den finanziellen
Leistungen, so mußten diese Vorlande hinter allen andern Provinzen
zurückstehen. Kaum 100,000 fl. wurden aus ihnen allen, dem Breisgau,
Schwaben und Vorarlberg als Reinertrag für die Gesamtzwecke der

Monarchie nach Wien abgeführt, ehe die Kaiſerin ſie zu höheren Leiſtungen drängte.[2] Der Grund lag nahe: Die Vorlande, insbeſondere der Breisgau, ihr wichtigſter Teil, waren ein Paradies der land=ſtändiſchen Freiheit, wie man es im deutſchen Südeu ſonſt nur noch in Württemberg kannte. Aber in Württemberg handelte es ſich um rein bürgerliche Stände; der Abel war hier reichsfrei geblieben und die lutheriſchen Prälaten nur aus bürgerlichen Familien hervorge= gangen, verſchwägert und vervettert untereinander, teilten durchaus Anſchauungen und Intereſſen der Bürgerlichen. So wahrte dieſe Ariſtokratie von Schreibern und Helfern, wie man in Schwaben ſagte, zwar eiferſüchtig ihre Rechte als Korporation, aber damit zugleich Zu= ſammenhang und Einheit des Staatsweſens. Im Breisgau dagegen herrſchte durchaus die ſtändiſche Libertät im alten Sinne. Hier ſind die Vertreter der Städte bedeutungslos und haben nicht einmal einen ſtändigen Ausſchuß, Abel und Prälaten — Prälaten alten Stiles, die über Land und Leute gebieten —, führen allein das große Wort, bewilligen nur das Notwendigſte und ſuchen von ihren Herrſchaften den Einfluß des Staates auf jede Weiſe möglichſt fern zu halten.

Die Entſtehung der Territorialmacht ſelbſt hatte dies mit ſich ge= bracht. Nicht auf der Grundlage des Herzogtums und nicht durch= weg auf dem der Grafſchaft war ſie entſtanden. Unvergeſſen war es zumal im Breisgau, daß die Markgrafen von Hochberg die alten Landgrafen geweſen waren und der Geſchichtſchreiber des badiſchen Hauſes Schöpflin ſorgte eben damals dafür, dieſe Erinnerung hiſtoriſch zu begründen.[3] Zum Unterſchied von andern Landſtänden nannten ſich die Breisgauer gern „freie Stände"; einige von ihnen hatten ſich in der Tat freiwillig unter Öſterreichs Schutz begeben; es war Grund genug für alle, das Gleiche von ſich zu behaupten. Ihre Ergeben= heit ſchien dadurch um ſo wertvoller; und der Breisgauer Abel hörte nicht auf zu erzählen, daß ſeine Vorfahren mit den Habsburgern ſchon auf dem Felde von Sempach geblutet hätten; freilich rief er dieſe Erinnerungen immer beſonders an, wenn er dem Staate etwas Neues leiſten ſollte. Beſonders wichtig war deshalb für den Breisgauer Abel, daß er unter ſich das ſogenannte officium nobile judicis, die unentgeltliche Beſorgung eines großen Teils der freiwilligen Gerichts= barkeit und das ganze Vormundſchaftsweſen beſorgte. Er erklärte, daß nur dieſes perſönliche Recht ihn dem Reichsabel ebenbürtig mache, und ihm die Rechte der Kapitelsfähigkeit erteile. Dieſe waren um so wichtiger, als Domherrenstellen und Abteien, die nur dem reichsfreien Adel vorbehalten waren, so begehrt wie nötig zur Aus= stattung jüngerer Geschwister waren. Daß Joseph dem Breisgauer Adel das officium nobile entzog, hat dieser als besonders kränkend empfunden und es alsbald von Leopold II. wieder zu erlangen gewußt.

Materiell wertvoller waren die andern Hoheitsrechte, die die einzelnen Landstände, sei es behalten, sei es erworben· hatten: Die gesamte hohe und niedere Gerichtsbarkeit stand ihnen fast aus= nahmslos zu, das Hofgericht, das eine Abteilung der Regierung bildete, war auf Appellationen und auf die Entscheidung von Streitig= keiten der Herrschaften untereinander oder mit ihren Untertanen be= schränkt. An beiden fehlte es freilich nie. Das ganze Steuerwesen, einschließlich der wichtigeren indirekten Steuern, ruhte nicht nur bis zu Maria Theresias Reformen bei den Ständen, sondern es waren auch die einzelnen Herren mit einem großen Teil des Ertrages ge= winnbeteiligt, so bei dem einträglichen Salzmonopole. So lag auch der bedeutendste Teil der Landespolizei bei den ständischen Ausschüssen, die Ortspolizei übten selbstverständlich die Dominien aus, und nur durch ihre Vermittlung kamen alle Verordnungen der Regierung zur Kenntnis der mittelbaren Untertanen und zur Ausführung. Selbst das Militärwesen unterstand bis in seine Einzelheiten wie die Bestimmung der Garnison, der Einquartierung und der Marschrouten den Anordnungen des ständischen Ausschusses. So glich denn in der Tat die Stellung dieser Landstände mit wenig Einschränkungen der von Reichsrittern und Reichsprälaten, und selbstbewußt rechneten sie den Herren in Wien vor, wie ehrenvoll es für den österreichischen Staat sei, so vornehme Untertanen zu haben. Freilich, wenn sie zu verstehen gaben, daß sie weit vornehmer als böhmische Magnaten seien, mußten sie seufzend hinzufügen: Was in Böhmen 100 fl. seien, sei im Ver= gleich des Vermögens bei ihnen kaum einer. Sie stellten im Grunde nur arme Regenten zwerghafter, halbstaatlicher Gebilde vor, während jene böhmischen Magnaten reiche Grundbesitzer waren.

Beträchtlich wohlhabender waren durchschnittlich die Prälaten. Einige der reichsten deutschen Klöster lagen im Breisgau, allen voran St. Blasien, das ein beträchtliches reichsfreies Gebiet, die Grafschaft Bonndorf, und große Besitzungen in der Schweiz außer dem ge= schlossenen Besitz und den weit im Land zerstreuten einzelnen Gütern im Breisgau sein eigen nannte. Der Abt von St. Blasien bezog ein weit größeres Einkommen als der Fürstbischof von Konstanz, sein Ordinarius. Die Abteien Säckingen und St. Peter, die Johanniter-Kommende Heitersheim hatten ebenfalls in und außer Landes große Besitzungen. Eng hielten die Prälaten des Breisgaus zusammen und ihre Stellung gegenüber dem Bistum war ebenso selbständig wie gegenüber der Regierung. Uralt war gerade in der Diözese Konstanz der Gegensatz zwischen dem Bischof und den Benediktinerabteien; er hatte gleich bei der Bekehrung der Alamannen begonnen und war fast nie unterbrochen worden. Jedes Versuchs selbständiger Besteuerung durch den Bischof hatte sich der Prälatenstand erwehrt, seine Exemtionsprivilegien hatte er zu erhalten und zu erweitern gewußt. Mit diesen Abteien war seit der Gegenreformation eine große Veränderung vor sich gegangen. Sie hatten den Adel ausgeschlossen, ihre Mönche nahmen sie sich nur aus Bürgers- und Bauerssöhnen, und der Grund leuchtet ein, wenn man das Schicksal der alten großen Abteien in der Nachbarschaft, die dem Adel vorbehalten waren, verglich. Die einst mächtigste unter diesen, die Reichenau, war erst von ihren Ministerialen geplündert, dann von ihren freiherrlichen Konventualen völlig zugrunde gerichtet worden und schließlich dem Bistum anheimgefallen. Mit dem Bürgerstande war in den Klöstern bessere Ordnung in der Verwaltung, bessere Zucht und Pflichtgefühl eingezogen. Ihr Reichtum hatte sich noch immer vermehrt. Die Verluste, die man durch die Reformation erlitten, waren hier nicht sehr bedeutend. Es war dem Schutze durch die Macht Österreichs zu danken, wenn auch die meisten Einkünfte aus protestantischen Gebieten den Klöstern erhalten geblieben waren; der Besitz selber war immer wertvoller geworden, und von den Amortisationsgesetzen, die im übrigen Österreich die Erweiterung des Besitzes der toten Hand verhinderten, hatte sich der Breisgauer Prälatenstand, dank seiner mächtigen Stellung im Staate frei gehalten. Diese galten hier nur für die Weltgeistlichkeit, die nicht viel Vermögen anzulegen hatte. Allerdings hüteten sich im 18. Jahrhundert die Prälaten der Ritterschaft ins Gehege zu kommen, aus deren Eifersucht überall die Amortisationsgesetze entsprungen waren; dagegen hatte St. Blasien noch vor kurzem von der Regierung selber zwei ansehnliche Herrschaften gekauft. Und da es sonst überhaupt keine reichen Leute im Lande gab, hielten die Prälaten der österreichischen Regierung gerne vor, wie vorteilhaft es für das Land sei, reiche Stifter zu besitzen. Auch waren sie in den finanziellen Nöten zwar ungern zu Steuern, aber leicht zu Darlehen bereit nach Weise aller Kapitalisten.

Seit langem hielten diese Klöster auch im Ausgeben gute Wirtschaft. In diesem Lande, wo man beständig die Augen der schweizerischen, württembergischen und badischen Ketzer auf sich gerichtet sah, hatte der Klerus gelernt, sich zusammenzunehmen. Hatte vor der Reformation die Verwendung so vieler Pfarren zur Ausstattung von Klöstern zu dem völligen Verfall der Seelsorge geführt, so wurden seitdem regelmäßig Konventualen als Pfarrer auf die Dörfer geschickt; der Einfluß der Klöster auf das Volk, das jetzt in ihnen noch etwas anderes sah als lästige Grundherren, war damit außerordentlich gewachsen. In wissenschaftlicher Tätigkeit erlangte eben damals der Benediktinerorden in Deutschland erst seine Blüte, seitdem er statt der Scholastik das fruchtbarere Feld historischer Kritik und Quellenedition anbaute. Es war der Ehrgeiz der St. Blasianer, es dem großen französischen Vorbild, der Kongregation von St. Maur, nachzutun. Gelehrte wie Herrgott, Neugart und vor allem den Fürstabt Gerbert selber hatte seit langem das katholische Deutschland nicht gesehen. Zugleich gefiel man sich in einer prunkvollen Kunstpflege. Mächtige Kirchen, unter denen der Kuppelbau von St. Blasien am meisten bewundert und dem Freiburger Münster weit vorgezogen wurde, erhoben sich allerorts, ausgestattet mit jeder Art barockem Schnörkel, wie sie die geschickte Hand der Schwarzwälder Bauernkünstler dem raffinierten Geschmack der Südländer rasch abgelernt hatte. Aber auch die bäuerlichen Erfinder in der neuen Industrie der Uhrmacherei fanden bei den gelehrten Patres von St. Peter auf dem Schwarzwald Rat und Hülfe.

Milde Herren jedoch waren die Äbte mit nichten; auf jedes Recht und jede Einnahme, die ihnen von ihren Bauern zustand, hielten sie mindestens ebenso zähe wie die Adligen, und jeder Änderung widerstrebten sie mit der vereinigten Hartnäckigkeit des Grundherren und des Klerikers.

In allen diesen Dominien, geistlichen wie weltlichen, wurde die Verwaltung von Beamten geführt; kleine Dominien hielten sich wohl einen solchen gemeinsam. Da die Rechtsverwaltung fast das beste und nutzbarste Stück der Dominikalrechte war, mußten es studierte Juristen sein; das unterscheidet sie von den böhmischen Rentmeistern auf den großen Herrschaften, mit denen man sie sonst wohl in Vergleich ſetzen möchte. In den geiſtlichen Dominien waren ſie bisweilen noch mehr die Thrannen ihrer Auftraggeber als die ihrer Untergebenen. Jährlich kamen dieſe Beamten zu einer eigenen Sitzung in Freiburg zuſammen; es war eine Art freiwilliger Ständevertretung; die Regierung ſelber forderte ihre Gutachten bisweilen von dieſem Konſeß, der freilich jedes Recht und jeden Mißbrauch amtsgemäß zu konſervieren ſich verpflichtet fühlte, beſtand doch die Lebensaufgabe dieſer Beamten darin, die Dominien genannten Kleinſtaaten auf höhere Grundrente zu bewirtſchaften.

Die grundherrliche Verfaſſung des Breisgaus trägt die wohlbekannten Züge einer ſolchen in beſonders ſcharfer Ausprägung. Seit dem 16. Jahrhundert hatte ſie keine weſentliche Veränderung erfahren, der Bauernkrieg hatte, wie ſo oft eine verunglückte Revolution, hier alles feſtgelegt, und auch der dreißigjährige Krieg hatte wohl eine furchtbare Verwüſtung der Wirtſchaft, aber keinerlei Verſchiebungen in der ſozialen Verfaſſung mit ſich gebracht. Die Grundherren hatten keine nennenswerten Güter außer dem Wald in eigener Bewirtſchaftung, höchſtens wurden ein paar Weinberge oder Matten, von den Bauern in der Fron gebaut. Daraus ergab ſich von vornherein, daß die Fronden überhaupt geringfügig waren; wo die Bauern darüber klagten, waren es nur Fuhrfronden und Botengänge. Auch der Herrſchaftswald war überall mit Servituten zugunſten der bäuerlichen Wirtſchaften in einem Maße belaſtet, daß hierin noch immer der Hauptteil ſeiner Nutzung beſtand. Seit durch Flößerei, Holzhandel und „holzverzehrende Gewerbe" der Waldbeſtand anfing wertvoller zu werden, hatten die Herren wieder mit der Einſchränkung der Nutzungen begonnen, in gleichem Maße hatten ſich aber auch die Waldprozeſſe mit den Untertanen, ohne die bei der Unſicherheit der Eigentumsverhältniſſe kaum eine Herrſchaft war, vermehrt. Zähe, durch Entſcheide und Verträge immer nur zeitweilig unterbrochen, ſetzten ſich dieſe Streitigkeiten fort; denn immer war und blieb hier der Bauer der Anſicht, daß eigentlich der Wald ihm gehöre.

Die vielgeſtaltigen Rechte der Herren an ihre Untertanen, mit dem Namen Dominikalrechte bezeichnet, waren ſehr häufig durch Weistümer feſtgelegt, die von der Rechtſprechung reſpektiert wurden, auch wo ſie mangelhaft beglaubigt waren. Sie boten auch die beſte Handhabe für die Tätigkeit des amtlich berufenen Beſchützers der Bauern, des Untertanenadvokaten. Dieſe merkwürdige öſterreichiſche Einrich=

tung, von der ich vermute, daß sie nach spanischem Vorbilde eingeführt ist und ihr Muster in der Beschützung der Indianer der Encomiendas hat, hat hier wie in den andern Kronländern ihre wirkliche Bedeu= tung freilich erst erhalten, als von Maria Theresia und Joseph eine entschieden bauernfreundliche Politik eingeschlagen wurde.

Wenn wir jetzt diese Dominikalrechte nach ihrer Herkunft in Leibesherrschaft, Grundherrschaft und Gerichtsherrschaft einteilen, so war dem 18. Jahrhundert eine solche Scheidung zwar nicht fremd, aber im besonderen sehr schwer durchzuführen. Auf eine genaue Scheidung von Gerichtsherrschaft und Grundherrschaft mußte man ver= zichten; denn was auch der Ursprung der einzelnen Gerichtsrechte ge= wesen sein mochte, jetzt hafteten sie längst als ungetrennte Gesamtheit am Grund und Boden. So begnügte man sich mit der Scheidung persönlicher und dinglicher Rechte. Wie zweideutig war aber auch hier alles! Gerade die wichtigste der Abgaben, das Abzugsgeld, wurde als eine Folge der Leibesherrschaft angesehen und mochte von ihr auch meistens seinen Ursprung genommen haben; dennoch wurde es von jedem Insassen der Grundherrschaften, sogar von Abligen, wenn sie wegzogen, gefordert, hatte also wenigstens in seiner Ausge= staltung nichts mehr mit dem Personenstand der Untertanen zu tun. Gering war überall der Leibschilling, den der Leibeigene bei Lebzeiten zu entrichten hatte, auch der Leibfall, die Erbschaftsabgabe, war meistens auf ein geringes Maß festgesetzt. Neben ihm aber stand der „Güter= fall", die Erbschaftsabgabe für das Freiwerden des Gutes, der jedem Erbenteil voranging und oft noch durch weitere Gebühren für den Neuempfang des Lehens ergänzt wurde. Er wurde so gut wie überall in natura oder nach vollwertiger Abschätzung des besten Hauptes im Stall, „vom Roß bis zur Geis" erhoben. Auch das „Drittelsrecht" war unbestimmt, es wurde bald von der Erbschaft an der fahrenden Habe, bald von der liegenden entrichtet. In vielen Dominien kamen als weitere Herrenrechte Ausschank des Bannweins und die Bannmühle hinzu. Daß die Herrschaft auch an Landessteuern wie dem Salz= kastenrecht ihren Anteil hatte, ward schon erwähnt.

Dieser Fülle lästiger Abgaben standen jedoch sehr günstige Besitzverhältnisse der Bauern gegenüber. Schon im 16. Jahrhun= dert hatten die vorderösterreichischen Landstände hervorgehoben, daß die Bauern bei ihnen viel besser baran seien als im benachbarten Lothringen und Burgund, daß man hier kein droit de main morte

kenne. Auch jetzt herrſchte durchaus das günſtigſte Rechtsverhältnis
abgeleiteten Beſitzes, das bäuerliche Erblehen vor. Die Zahl der
Schupflehen war im Breisgau gering, während ſie ſchon in Ober=
ſchwaben, wo ſie den bezeichnenden Namen Gnadenlehen trugen, und
noch mehr in Bayern zahlreicher wurben. Pachtungen gab es ver=
hältnismäßig viele, namentlich waren oft die Meiertümer, jene größeren
Höfe im Gebiete der zerſplitterten Bodenbenutzung, mit denen die
Vorſteherſchaft in der Hofgenoſſenſchaft verbunden war, ſolche „Fröhnden“,
das heißt Herrengüter.

Neben den Dominien ſtanden die unmittelbar dem Landesherrn
untergebenen Gebiete, die Kameralherrſchaften, geſchloſſenere Gebiete
als die Mehrzahl der Dominien. Da ſie auf verſchiedene Weiſe
ans Habsburger Haus gekommen waren, war auch ihre Stellung,
das Maß von Rechten, das ſie genoſſen, ſehr verſchieden. Da
war Rheinfelden und das Fricktal, der beſcheidene Reſt, der von
den Habsburger Beſitzungen auf dem Schweizer Rheinufer geblieben
war, von alters her eifrig öſterreichiſch geſinnt — an alten Hoftoren
ſieht man wohl bis heute noch den Doppelabler — aber wirtſchaftlich
ganz abhängig von den benachbarten Schweizern und ſeit den ſchlimmen
Zeiten des breißigjährigen Krieges tief an ſie verſchuldet; da war die
ruhige Herrſchaft Schwarzenberg, die den anderen öfters als Muſter
der Geduld und des Gehorſams vorgehalten wurde, da die beiden
wichtigſten, die Schwarzwaldlandſchaften, Grafſchaft Hauenſtein und
Herrſchaft Triberg.

Seit dem 14. Jahrhundert beſaß das Hauenſteiniſche, das rauhe
Plateau mit den tiefeingeſchnittenen Tälern, mit dem ſich der Schwarz=
walb im Süden zum Rhein ſenkt, eine freie bäuerliche Verfaſſung, die
der der benachbarten Schweizer Kantone, ſo oft man auch mit dieſen
in Fehde gelebt hatte, nahe verwandt war. Eiferſüchtig wachten die
Bauern über der Wahrung dieſer Privilegien. Hier war von alters ein
Hauptſitz der Bauernunruhen, die jetzt im 18. Jahrhundert noch ein
merkwürdiges Nachſpiel in den Aufſtänden der Salpeterer gewannen;
der Walbvogt, der in Walbshut ſaß, hatte tatſächlich weniger zu
ſagen als · die Meiſter der vier Einungen, in die ſich von alters
her die Bauern zuſammengeſchloſſen hatten. Hier ſaßen von jeher
viele freie Bauern auf eigenem Grund und Boden, die argwöhniſch
barüber wachten, daß ſich die Leibeigenſchaft durch Heirat oder Ver=
kauf von den großen Grundherrſchaften der Nachbarſchaft St. Blaſien

und Säckingen nicht noch weiter ausbreite. Ungeschmälert hatten sie sich ihre uralte Almende erhalten, aber günstig war ihre wirtschaft= liche Lage in dem rauhen Land nicht, da wie gewöhnlich in den Ge= bieten, wo für freie Leute nur das Landrecht galt, die freie Teilung des Bodens geübt wurde. Eifrig griff man damals im Hauensteinischen nach dem dürftigen Arbeitslohn, den die eben aufkommende Schweizer Textilindustrie versprach, die hierher ihre geringere und schlechter bezahlte Arbeit, die Spinnerei verlegte. So gaben sich diese stolzen Bauern, die keinen Eingriff des Kaiserhauses dulden wollten, freiwillig in die wirtschaftliche Abhängigkeit von ausländischen Fabrikanten und die in schlimmere von einheimischen Fergern.

Im Tribergischen hingegen, einem spätkolonisierten Gebiet voll wilder Hochtäler und einsamer Bergweiden, gab es nur große ge= schlossene Hofgüter. Die Insassen waren fast alle Leibeigene benach= barter geistlicher Herrschaften, aber nirgends bedeutete die Leibeigen= schaft weniger, war mehr ein bloßer Name, als hier. Die Triberger Bauern standen im Rufe, die hartköpfigsten unter allen Schwarzwäldern zu sein, und diesem Rufe hatten sie es zum Teil zu danken, daß ihr Ländchen gewöhnlich als Pfandobjekt behandelt worden war, was der Schrecken für alle Kameralherrschaften gerade so wie in früheren Zeiten für alle kleinen Reichsstädte war. Zuletzt hatten die Schwendi die Herrschaft gegen 100 Jahre innegehabt; diese Pfandschaft gehörte mit zu dem Lohne für den berühmten Diplomaten und Feldherrn Ferdi= nands I. Lazarus Schwendi. Da hatten nach dem westfälischen Frieden, als doch das bare Geld rarer als je war, die Bauern ihr Äußerstes getan, den Pfandschilling aufgebracht und die Herr= schaft gelöst. Das Urbar, das sie damals erhielten, war ihre Ver= fassungsurkunde und sie waren nicht gesonnen, um Haaresbreite davon abzuweichen. Den Amtmann, den ihnen jetzt die Herrschaft setzte, sahen sie gerade so mißtrauisch an wie früher den Pfandherrn, und wenn sie nicht das tiefgefühlte Bedürfnis gehabt hätten untereinander Prozesse zu führen, würden sie sich um die Regierung überhaupt nicht gekümmert haben. Wenn man von ihnen Steuern haben wollte wie von den anderen Herrschaften, kostete es immer lange Verhandlungen mit der Versammlung der Stabsvögte, einer Art Ständevertretung, auf die aber die Bauern selber wenig Wert legten, da sich ihre Interessen darin erschöpften, daß jeder gänzlich unbehelligt auf seinem Hofe sitze. Bisweilen gelang es nur durch die gefürchtetste aller

Drohungen — nämlich eine Schwadron Dragoner ins Land zu legen — eine Steuerbewilligung zu erlangen; und murrend zogen dann die Stabsvögte fort: sie waren daheim der Prügel von ihren Auftrag= gebern, deren gemessene Weisung sie überschritten hatten, sicher. In ihren großen, aus Baumstämmen gefügten, strohgedeckten Häusern, wo der Rauch des offenen Herdes sich ohne Schornstein den Weg durch die Lücke am Dachfirst sucht — noch haben sich fast alle aus dieser Zeit als schönster Schmuck der Landschaft erhalten —, hausten sie als echte Bauern: sie zogen treffliches Vieh, verwüsteten schänd= lich den Wald und hatten alles Wild bis auf den letzten Hasen ausgerottet. Trotz ihrer Abgeschlossenheit waren sie, auch dies im Gegensatz zu der Regierung, eifrige Anhänger des freien Verkehrs und geschworene Feinde aller Zunftbeschränkung; denn sie wollten ihr Vieh ungehindert ins Ausland absetzen und der Hausierer, der Vermittler des einsamen Bauernhofes mit der Außenwelt, sollte frei bei ihnen verkehren.

Schon aber hatte sich in dem seltsamen Ländchen die merkwür= digste aller Hausindustrien, die Uhrenmacherei, auszubilden begonnen, ein Kind des grüblerischen Sinnes und der altgeübten Handfertigkeit dieser Bauern; und erblose Söhne, die nicht Hagestolzen und Knechte bleiben wollten, fingen an, mit den Glaswaren, Uhren und Strohhüten ihrer Heimat durch ganz Europa zu ziehen. So sproßte hier, zum Glück lange unbeachtet von der Regierung, in dem verrufensten Bauernwinkel eine zugleich nachdenkliche und regsame Industrie auf, indes die alten Städte, von deren einstiger Blüte die herrlichen Denk= mäler des Mittelalters zeugten, in starre unbewegliche Ruhe ver= sunken waren. Die beiden größten, Freiburg und Villingen, verfügten noch von jenen Zeiten her über großen Landbesitz, sie teilten schon deshalb die Interessen der Ritterschaft, in der Freiburg auch Sitz und Stimme hatte. Das ganz heruntergekommene Breisach hatte wenigstens seine Almende auf dem linken Rheinufer an den franzö= sischen Staat, der darauf die Festung Neu=Breisach baute, günstig verkauft. Alle Städte aber waren nur darauf bedacht, ihre Zunft= privilegien ängstlich zu wahren und im Rat die Vetternschaften, die sich jeder Kontrolle entzogen, zu erhalten. Viel war freilich bei der städtischen Verwaltung nicht zu holen; was da war, nützte man aber nach Kräften aus, und da der Landesherr zugleich auch Kaiser war, erwartete man von ihm, daß er als solcher neue Märkte in den Nach= barterritorien wie Lörrach und Müllheim verbiete.

Auch wenn es in einem solchen Laub eine eifrige Regierung ge=
geben hätte, würde fie fich überall gehemmt gefehen haben. Eine
Befugnis von unvergleichlicher Wichtigkeit ftand ihr zu: das ausfchließ=
liche Recht der Gefeßgebung. Die Landftände haben wohl öfters Vor=
ftellungen gegen einzelne Verordnungen gemacht aber nie an der Be=
ratung von Gefeßen mitgewirkt. Allein noch ahnte oder argwöhnte
hier niemand, welche Macht in diefer Befugnis ruhte, folange überall
die Ortsgewohnheit und ergänzend das römifche Recht, die Juriften=
gewohnheit, allein herrfchte. Überall fonft, im Gerichtswefen, der
Landesverteidigung, der Polizei, der Steuer, den Regalien mußte die Re=
gierung mit den Dominien teilen und felbft in den Kameralherrfchaften
hatte fie wenig zu fagen. Je weniger fie zu tun hatte, um fo größer
war der Stab von Räten und Unterbeamten, der fie ausmachte, und
noch die erfte, wenig glückliche Reform Maria Therefias, die Ein=
feßung einer eigenen Repräfentation für alle drei Vorlande in Konftanz,
diente dazu, diefe Menge wenig befchäftigter Leute zu vermehren.
Im Grunde war es noch immer diefelbe Enfisheimer Regierung, die
früher vor dem Verluft des Elfaß an Frankreich faft den doppelten
Wirkungskreis gehabt hatte. Die Landftände, die wie gewöhnlich für
die Fehler der konkurrierenden Regierung ein fchärferes Auge hatten
als für ihre eigenen, haben fie im Jahre 1765, in einem Augenblicke
freilich, als ihnen zugunften einer fo läffigen Behörde die eigenen
Befugniffe gefchmälert wurden, der Kaiferin draftifch gefchildert.[4] Den
Grund der gewohnheitsmäßigen Faulheit, von der wir uns übrigens felber
aus den Akten überzeugen können, erblickten fie in der Kollegialverfaffung,
vermöge deren alle Angelegenheiten im Plenum verhandelt wurden, wobei
dann einer die Arbeit auf den andern fchob. Sie verwiefen auf den
pünktlichen Gang der badifchen Verwaltung, wo jeder Rat fein eigenes
Dezernat, jede Behörde ihren abgegrenzten Wirkungskreis habe. Die
juriftifchen Mitglieder der Regierung bildeten, gemäß der noch allge=
meinen Verbindung von Verwaltung und Juftiz, zugleich das Hof=
gericht, die Ausarbeitung der Entfcheidungen aber übertrug diefes nach
einem auch im übrigen Ofterreich noch lange geltenden Mißbrauch
dem Advokaten der fiegenden Partei. Um fo mehr Eifer bewährten
die Herren Räte nach Anficht der Landftände, um fich Protektoren in
Wien zu fichern. Nur hatte fich neuerdings, wie fie hämifch bemerkten,
die Methode geändert: die Herren wüßten, daß man fich mit Denk=
fchriften und Projekten zur Landesverbefferung bei der Kaiferin am

meisten beliebt mache — nur seien diese alle abgeschrieben, wozu die Menge gedruckter Abhandlungen über ökonomische Gegenstände in der Schweiz und Baden reichlich Gelegenheit biete. Es mag sein, daß die Stäube auch hierin recht hatten; allein das Plagiat ist doch wenigstens eine Verbeugung vor der Idee wie die Heuchelei eine Huldigung vor der Tugend ist, und es war schon ein Fortschritt, daß man anfing wenigstens abzuschreiben.

II.
Die wirtschaftlichen und politischen Reformen Maria Theresias.

So lebte in diesem beständig von außen gefährdeten Lande, in diesem Sorgenkinde der österreichischen Politik, doch alles in dem Zustand einer behaglichen Anarchie und es wäre schwer zu erweisen, daß irgend jemand von selbst aus ihm herauszukommen begehrte. Hier mußte jeder Anstoß zum Fortschritt von außen kommen. Indem Maria Theresia, eine Frau, deren Größe nicht in einer genialen Anlage, sondern in der Stärke des Charakters, im gesunden Menschenverstand und im unerschütterlichen Ordnungs- und Gerechtigkeitssinn lag, eintrat in den Existenzkampf für ihren Staat, sah sie sich auch genötigt allen Teilen dieses Staates die nötigen Opfer zuzumuten, keinem zu gestatten abseits zu stehen. Daraus ergab sich alles weitere, was sie an Reformen durchgeführt hat.[1]

Schon früher waren einige Male größere Anforderungen an die drei verschiedenen Ständevertretungen Vorderösterreichs ergangen. Kaiser Ferdinand III. nach dem dreißigjährigen Kriege, Leopold I. während des spanischen Erbfolgekrieges hatten sie bedurft und erhalten, niemals aber war das Steuersystem dabei wirklich geordnet worden; in den Kriegsjahren hatte man dazu nicht die Zeit, in den langen darauffolgenden Friedensjahren schien sich die Mühe bei der Geringfügigkeit der Summen nicht zu lohnen. So war man denn, trotzdem jede einzelne Regierung wenigstens einmal versucht hat, die Beschwerden über ungleiche Belastung abzustellen, bei der Austeilung geblieben, die nach langen erbitterten Verhandlungen im Jahre 1657 getroffen war, so

unzureichend sie auch war. Die Repartition des Anteils der einzelnen
Dominien auf die Untertanen war jedem Landstand selber über=
lassen. Allmählich war der Betrag der Landsteuer in Friedens=
zeiten im Breisgau auf 8000 fl. gesunken. Auch den bescheidensten
Ansprüchen genügte diese Summe nicht, man lebte von schwe=
benden Schulden, vom Ämterverkauf und, wie wir sahen, sogar vom
Verkauf einzelner Kameralherrschaften. Dennoch hatte die Zentral=
regierung in Wien ein ganz bestimmtes Ideal, die einheitliche auf
einem genauen Wertkataster beruhende Grundsteuer, wie sie durch das
Musterwerk des Catasto Milanese ins Werk gesetzt war. Auch im
Breisgau hat Karl VI. schüchtern eine ähnliche Schätzungsweise an=
geregt, aber alsbald hatten sich Ritter= und Prälatenstand dahin
geeinigt, „sich zu keiner Steuerart, die von der Regierung ausgehe,
vermögen zu lassen, da deren Absicht niemals zu Guten des Landes
sondern nur dahin gemeint sei, in die individuelle Erkenntnis des=
selben zu gelangen". Adel und Klerus wollten eben jede unmittelbare
Beziehung der Regierung zu ihren Untertanen als einen Eingriff in
ihre Selbstherrlichkeit verhindern.

Auch Maria Theresia mußte zunächst mit diesen Verhältnissen
rechnen. Sie machte im Erbfolgekrieg große Steuerforderungen und
begnügte sich mit mäßigen Zahlungen. Alles andere, was nötig war
an Lieferungen für die Generalkriegskasse, die Kommissariate und
Proviantämter, wurde zwar ebenfalls von den Ständen vorgeschossen,
aber als verzinsbare Schuld. 1,200,000 fl. erkannte nach dem
Frieden die Kaiserin als solche an und verordnete, daß zunächst der
gesamte Steuerbetrag zur Verzinsung zu verwenden sei; zugleich aber
betonte sie, daß von nun an im Zusammenhang mit einem neuen
System der Heeresverpflegung und Schuldentilgung auch erhöhte
Anforderungen gemacht werden würden.

„In allen Erblanden begann jetzt die Verwaltungs= und Steuer=
reform, nach einem gemeinsamen Plan, so verschieden dieser auch
nach den Rechts= und Wirtschaftsverhältnissen der einzelnen Länder
durchgeführt wurde. Es war freilich ein schwieriges Programm,
das Maria Theresia im Jahre 1745 aufstellte, als sie die Breis=
gauer Regierung aufforderte ihr Vorschläge darüber einzusenden, „wie
das fürstliche Ararium namhaft vermehrt, damit jedoch der getreue
Untertan und gedrückte Landmann in seinen bisherigen Praestandis
merklich erleichtert werden könne"; aber sie hat es durchgeführt und

diese Verbindung finanziell-politischer und sozial-bauernfreundlicher Absichten ist das Kennzeichen der ganzen österreichischen Reformepoche bis zum Tode Josephs II. und ihr eigentlicher Ruhm geblieben.

Allerdings mißlang der erste bedeutende Anlauf, erst der zweite führte zum Ziel. Auf dem Landtag von 1748 hatte die Kaiserin den Ständen vortragen lassen: Zur Erhaltung ihrer Krone und Beibehaltung der katholischen Religion habe sie bisher gekämpft; mit Rücksicht auf die formidable Nachbarschaft müsse sie aber auch in Zukunft ein Heer von 108,000 Mann halten. Vorderösterreich war in dem Anschlag Haugwitzs, durch den die Kosten für dieses stehende Heer auf die Länder verteilt waren, wegen seiner großen Verluste im letzten Kriege milder als andere angeschlagen. Die Vorteile, alle möglichen bisherigen zersplitterten Einzelabgaben gegen eine Bewilligung auf längere Zeit los zu werden, fielen in die Augen; der geschickte Unterhändler, den die Landstände in Wien besaßen, mußte aber die geforderte Summe noch weiter herabzuhandeln, bis sie auf den geringen Betrag von 41,625 fl. angelangt war, von denen noch fast die Hälfte für Verzinsung und Amortisation der bisherigen Antizipationen, das ist der vorgeschossenen Steuerdarlehen, in der Hand der Stäube blieben. Unter solchen Umständen war es nur ein Vorteil für die Landstände, wenn sie sich auf 12 Jahre bauben, zumal sie sich auch noch Veranlagung und Erhebung allein vorbehielten. Jener geschickte Unterhändler war der Sanktblasianer Marquard Herrgott, der Hofhistoriograph Maria Theresias, der damals das Prachtwerk der Monumenta Habsburgica herausgab. Er war ein lebenslustiger Prälat und gewandter Hofmann, der in hoher Gunst bei der Kaiserin stand, die als die letzte Habsburgerin der Vorzeit ihres Geschlechtes lebhaftes Interesse entgegenbrachte. Als Maria Theresia dahinter kam, wie arg sie der weltkundige Historiker in den Dingen der Gegenwart getäuscht, war es mit der Hofgunst vorbei. Herrgott mußte sich von Wien auf seine reiche Propstei Krozingen zurückziehen, wo er einen heiteren und freigebigen Prälatenhaushalt führte und seine Zeit zwischen gelehrten Studien und der Führung der Opposition im Landtag teilte.

Aber auch der neue Vertrauensmann der Kaiserin, der Kardinal Rodt hielt es weder für möglich noch für angezeigt, die Macht der Landstände zu beeinträchtigen. In Ersparnissen, in besserer Einrichtung der Regierung sah er allein das Heil, und pries sich der Kaiserin selber als den Mann an, der als Statthalter mit allen Schwierig-

keiten fertig zu werden wisse, indem er zugleich die schwersten geheimen
Anklagen gegen den augenblicklichen Statthalter, den Grafen Schauen=
burg richtete. Als Vorsitzender des schwäbischen Kreises drängte er
die zögernden Reichsstände in diesem zur Stellung ihrer Kontingente
im Reichskriege, er unterhandelte mit Karl Eugen von Württemberg
und berichtete dessen Wunsch, als Preis seiner Hülfe gegen Preußen
seine unbequemen Landstände los zu werden, er wußte die reichen
schweizerischen Abteien seiner Diözese zu ansehnlichen Beisteuern im
Kriege der gottesfürchtigen Kaiserin gegen das ketzerische Preußen zu
bestimmen; aber auch gar zu ungeschickt katholische Manifeste der
Breisgauer Regierung verstand er rechtzeitig zu unterdrücken, ehe sie
dem bösen Spötter Friedrich in die Hände fielen.

Den siebenjährigen Krieg führte die Kaiserin wieder wesentlich
mit Steuer=Antizipationen, indem die doppelte Steuer erhoben, die
Hälfte davon aber als verzinsliches Zwangsanlehen betrachtet wurde.
Es war der richtigste Weg, denn jede andere Art des Kredits war ihr
beinahe versperrt; sie hat nach dem Hubertusburger Frieden die Schuld
pünktlich verzinst und getilgt und das Gleichgewicht der Finanzen
hergestellt, was in Österreich zu den seltenen Ausnahmen gehört
hat. Jedenfalls brachten die Antizipationen mehr ein als die neuen
Steuern, Kapital= und Vermögens= und Erbschaftssteuer, lauter
interessante Experimente, die für alle Erbländer gelten sollten, aber
bald wieder verschwanden oder verkümmerten.

Unterdessen hatte noch während des Krieges selber die Kaiserin
tätig Hand an die Reform des Steuerwesens der Vorlande gelegt. Die
Streitigkeiten der Stände untereinander gaben ihr erwünschten Anlaß;
die „Peräquation", die „gottgefällige Gleichheit in Steuersachen", wie
sich die fromme Fürstin ausdrückte, mußte endlich erfolgen. Sie drohte
den Ständen 1753: Sie möchten sich endlich vertragen, widrigenfalls
sie selber den Ausgleich vornehmen werde. Nach wenigen Jahren sah
sie, daß es ohne dies Eingreifen nicht vorwärts gehe; sie machte jetzt
den Ständen begreiflich, daß es nie ihre Absicht gewesen sei, die
Dominialeinkünfte freizulassen und wie bisher die ganze Bürde auf
die Bauern allein zu wälzen; denn ihr sei wohlbekannt, woher die
wahre Bedrückung der Untertanen entspringe; sie aber sei als Fürstin
verpflichtet mit Beiseitesetzung aller übrigen Rücksichten den Unter=
tanen beizuspringen. Sie verlangte zugleich Einblick in den ständischen
Haushalt, damit weitere Unordnung vermieden würde.

Unglaublich waren die Schwierigkeiten, die der Kommissar der Kaiserin v. Scheiner, ein energischer Beamter, der bei ähnlichen Geschäften in Böhmen seine Erfahrungen gesammelt hatte, noch zu überwinden hatte. Die Bauern wollten sich durchaus nicht auf die Vermessung und Ertragsschätzung ihrer Äcker einlassen, obgleich das ganze Werk doch zu ihrem Nutzen unternommen war; sie glaubten, daß es genug sei, die Güterkaufpreise zugrunde zu legen. Es kam vor, daß sie im oberen Wiesental ihr Vieh in einsamen Schluchten versteckten, als ob der Feind im Anzug sei. Aber diese Schwierigkeiten waren gering gegen jene, die die Herren machten, als sie nun zum erstenmal ihre Einnahmen angeben sollten. Bei jedem einzelnen Punkt erhoben sie Widerspruch, vergeblich redete die Kaiserin selber ihrer Gesandtschaft, die ohne weiteres die Aufhebung der Schätzungskommission verlangte, mit Ernst und Güte zu. Erst, als die Breisgauer ihren Landessyndikus nach Böhmen schicken wollten, um bei den dortigen Ständen Erkundigungen einzuziehen, ging der Kaiserin die Geduld aus: „Sie sollten ihn nur schicken", ließ sie den Stäuben schreiben, „sie würden schon sehen, wie er dort empfangen und ihnen zurückgesandt werden würde. Wenn sie sähe, daß den Untertanen von der Peräquation eine üble Meinung beigebracht werde, so werde sie sich allein an die Stände als die Schuldigen halten, da sie pflichtwidrig statt Ruhe Unruhe stifteten."

Da Maria Theresia entschlossen war und es öfters aussprach, nicht um Haaresbreite vom Recht abzuweichen und jede Gewaltmaßregel zu vermeiden, würde sie noch lange auf den Abschluß haben warten können, wären ihr hier nicht doch die Bauern zu Hülfe gekommen. Die Untertanen der Prälaten reichten i. J. 1763 eine Beschwerde ein, daß ihre Herrschaften die Anleihe von 130 000 fl., die die Kaiserin bei ihnen gemacht hatte, zwar auf die Gemeinden umgelegt, von den 5% Zinsen aber bisher ihnen keinen roten Heller hätten zukommen lassen. Als die Prälaten entrüstet ihre Vögte zusammenberiefen, um den Denunzianten herauszubekommen, wollte es natürlich keiner gewesen sein; aber die Sache hatte ihre Richtigkeit und war nicht mehr abzuleugnen. Jetzt hatte die Kaiserin genugsam Grund, die Rechnungen einzufordern, und mit einem Schlage enthüllte sich die ganze Mißwirtschaft der Stände. Eigentlich hatte man in Wien keinen Grund erstaunt zu sein, man wußte aus geheimen Berichten unzufriedener Ständemitglieder, daß von jeher die Landstände statt der 8000 fl.,

die sie an die Regierung ablieferten, öfters bis zu 200 000 erhoben und
das übrige für sich behielten. Jetzt aber fand man weitere Hundert=
tausende aufgenommener Schulden, von denen niemand sagen konnte,
wohin sie gekommen. 45000 fl. fand man, die Herrgott in Wien
seinerzeit zugewendet worden waren — vielleicht waren sie dort nur durch
seine Hände gegangen und in den Taschen Anderer geblieben. Über diesen
Posten war die Kaiserin am meisten entrüstet. „In keinem Erb=
land“, schrieb der Minister, der sonst so langmütige Graf Chotek den
Rittern und den Prälaten, „herrsche eine gleiche Unordnung“, und es
war ein schlechter Trost, wenn er hinzufügte: „Übrigens habe es bei
den Städten sowohl in corpore als insbesonders die gleiche Bewandt=
nis.“ Wohin das viele Geld eigentlich gekommen war, hat Maria
Theresia klugerweise zu untersuchen unterlassen; sie hatte jetzt die
Stände viel besser in der Hand, wenn sie ihnen die Beschämung er=
sparte. Übrigens ist der Verbleib nicht schwer zu erraten. Der Haupt=
teil ist gegessen und vertrunken worden. Große und kleine Ausschüsse
und Landtage haben es sich eben in Freiburg auf Regiments=Unkosten
wohl sein lassen, solange die sparsame Kaiserin nicht ihr Veto sprach.

Ein großer öffentlicher Skandal ist für die Durchführung einer
Steuerreform immer ein günstiges Ereignis, wenn man ihn zu be=
nützen weiß. Maria Theresia ließ jetzt keine Zeit verstreichen. Sie
gewährte persönliche Verhandlung mit einer Deputation, aber sie knüpfte
daran vier Bedingungen: Es sollten nicht mehr als drei Mitglieder
sein, sie sollten endgültige Vollmacht haben, nicht mehr als drei Wochen
in Wien bleiben und an den früher festgestellten Grundsätzen nicht
mehr rütteln.

Die Stände schickten ihre verständigsten Leute und in kurzem
war das ganze Steuerwesen, einschließlich des Haushaltes der Stände
selber, neu geregelt. Fortan wurden alle Einkünfte von Rittern und
Prälaten zur Steuer herangezogen, jedoch blieb wie in anderen Erb=
ländern der Steuerfuß verschieden, indem von dem Steuergulden,
dem abgeschätzten Reinertrag bei den Bauern 25%, bei den Dominien
16% erhoben wurden. Die Ungleichheit ist nicht so groß, wie sie
erscheint, denn die Abschätzung der Gefälle der Dominien näherte sich
doch viel mehr der Wahrheit als die der Reinerträge der bäuerlichen
Landwirtschaft. An Genauigkeit blieb diese Einschätzung hinter dem
Ideal des Catasto Milanese weit zurück, auf Durchführung wirklicher
Urbare mußte die Kaiserin nach einigen Versuchen hier verzichten, und

nur eine genaue Landes= und Gemarkungsvermessung wurde mit großer Sicherheit und Gleichmäßigkeit durchgeführt. Jeder Untertan bekam sein Steuerbüchlein mit dem Katasterauszug und bemerkte bald, daß er weit weniger zu zahlen hatte als früher, obwohl sich der Reinertrag der Steuer mehr als verdoppelt hatte. Außerdem gelangte Verzinsung und Tilgung der Steuervorschüsse jetzt auch wirklich in seine Hände.

Noch bedeutungsvoller als der finanzielle und soziale Erfolg der Steuerreform war der politische. Der bisherigen ständischen Verwaltung war der Boden entzogen, sie mußte sich einer völligen Umgestaltung unterziehen. Seitdem eine feste Grundsteuer vorhanden war, hatten häufige Landtage, die ja mit Gesetzgebung nichts zu tun hatten, keinen großen Zweck mehr, die Kaiserin schaffte sie keineswegs ab, aber sie berief sie auch nicht mehr. Die alte Kassentrennung und die Ausschüsse waren zu unbehülflich. Die Stände behielten zwar ihren ganzen bisherigen Geschäftskreis, aber sie mußten ihn auf eine ständige Verwaltungsbehörde von nur 6 Mitgliedern, den landständischen Konseß übertragen. Die Kaiserin verfügte sogar, daß der Präsident der Breisgauer Regierung in Zukunft auch der des Konsesses sein solle. Damit war dieser Ausschuß eingeordnet in das Verwaltungssystem des Staates. Diese letzte Einbuße an Selbständigkeit war die einzige, gegen welche die Landstände noch Vorstellungen wagten. Es könnte wundernehmen, daß sie, die bisher um so manche Kleinigkeit erbittert gestritten hatten, jetzt solche Änderungen über sich ergehen ließen, aber der Erklärungsgrund liegt nahe: Seitdem es keine Tafel= und Präsenzgelder und unkontrollierte Einnahmen mehr gab, seitdem man zahlen mußte anstatt etwas herauszubekommen, war auch bei den Ständen das Verständnis für den Grundsatz der Kaiserin, daß überflüssige Ausgaben vermieden und alles aufs sparsamste eingerichtet werden müsse, erwacht.

Und in welche Schule hausmütterlicher, lehrhafter Bevormundung nahm sie jetzt Maria Theresia! Jährlich wurden Voranschlag und Belege nach Wien eingeliefert und einer strengen Prüfung unterworfen. Als Marie Antoinette zur Hochzeit nach Frankreich reiste und die Stadt Straßburg zum Willkommen auf französischem Boden jene mehr pomphaften als geschmackvollen Zurüstungen traf, die dem jungen Goethe so verletzend erschienen, glaubten auch die Breisgauer Landstände der Fürstin beim Verlassen der österreichischen Heimat einen festlichen Abschied bereiten zu müssen. Im Eifer ihrer Loyalität be-

2*

lasteten sie hierzu ihr Budget mit einem Anlehen von 62860 fl. Bei der kaiserlichen Mutter kamen sie aber hiermit übel an; sie bezeigte dem Konseß in einem scharfen Schreiben „ihr höchstes Mißfallen an solcher unwirtschaftlichen Gebahrung und besonders der Verschleppung vielen Geldes außer Landes." Wenigstens diesen letzten Vorwurf konnten die Getadelten in ihrer demütigen Erwiderung etwas ab= schwächen; „denn zum Glück hätten die fremden Künstler und theatra= lischen Personen, die man sich aus Straßburg verschrieben hatte, das Geld auch alsbald wieder in Freiburg vertan."

Über diese großen Reformen ist Maria Theresia mit weiteren Eingriffen in die Organisation des Staatswesens nicht hinausgegangen. Sie hatte auch diese ihrer eigenen Meinung nach in durchaus konser= vativem Sinne vollzogen, indem Steuerwesen und Landstände auf ihren eigentlichen Sinn und Nutzen zurückgeführt wurden. Der Bauer war dabei entlastet, aber das Verhältnis von Gutsherren und Bauern war nicht im Geringsten geändert worden; im Gegenteil alle bäuerlichen Lasten, die in die Steuererklärungen der Dominien aufgenommen worden waren, hatten dadurch eine noch größere Festigkeit erlangt, und die Kaiserin ließ es an ausdrücklichen Erklärungen nicht fehlen, daß sie an dem überkommenen Zustand nicht zu rütteln gedenke.

Um so reger war die Tätigkeit, welche die Regierung, beständig angespornt von Wien, auf den Gebieten der Kultur=Verbesserungen entfaltete. Pflege des Ackerbaues, der Industrie und des geistigen Lebens, soweit es dem Staat und der Volkswirtschaft nützte, wurden jetzt gleichzeitig Aufgaben, die man früher kaum gekannt hatte. Trotz des Besitzes einer eigenen, jedoch noch dahinkümmernden Universität war ein selbständiges geistiges Leben im Breisgau nahezu erloschen; wie im frühen Mittelalter hatte es sich hier in die Benediktinerklöster zu= rückgezogen. Hier hat die Kaiserin vor allem durch Stiftung einer Breisgauer ökonomischen Gesellschaft zu wirken gesucht, über deren Schicksale sie sich von Zeit zu Zeit berichten ließ. Zum erstenmal fanden sich in diesem Lande strenger Ständegliederung zwanglos An= gehörige aller Berufe zusammen, um Vorträge zu hören, Beratungen zu pflegen und Preisarbeiten auszuschreiben. Freilich fehlte noch die Schulung im Vereinsleben; die Teilnahme war gering, der Besuch schlecht und bei den Vorträgen machte sich, wie das Protokoll nicht versäumt anzumerken, „bald die Sehnsucht nach dem Aufbruch geltend"; jedoch die Preisarbeiten aus allen Gebieten der Ökonomie erhielten

verständige Beantwortungen, und wenn ein biederer Schultheiß bei der
Erörterung, wie die Verbreitung des Rostes zu verhindern sei, auch
bemerkte: „item es kann den lieben Feldfrüchten nichts schaden, wenn
der Brühe auch etwas vom geweihten, allerheiligsten Dreifaltigkeitssalze
hinzugesetzt wird", so vermerkte das die Kaiserin gewiß nicht übel.
Etwas von geweihtem Salze ist in ihrer ganzen Regierungsweise
— immerhin es war Salz.

Diese Denkschriften trafen mit den Absichten zur Hebung der
Landeskultur zusammen. Die Kaiserin hatte tüchtige Ökonomie=
kommissare ins Land geschickt, die überall, wo sie nach viel Mühe die
Bauern zu überzeugen wußten, mit Allmendteilungen, mit dem Ein=
schlagen des Wildfeldes, mit Verbesserung der Weiden vorgingen.
Selbst bei den Hauensteinern hatten sie namhafte Erfolge.[3] Auch
gelang der Kaiserin hier eine Einrichtung durchzuführen, um die
sie sich in den anderen Erblanden vergeblich bemühte, die gemein=
same Brandversicherung. Das Vorbild war in der Nachbarschaft,
in Baden=Durlach zu finden, wie sich wiederum Karl Friedrich
an das Beispiel Friedrichs des Großen und seiner Einrichtungen in
Schlesien gehalten hatte.[4] Weniger erfolgreich waren die Bemühungen
der Kaiserin, überall Kommerz=Deputationen einzurichten und durch
sie auch die gewerblichen Kreise zur Selbstverwaltung heranzuziehen.
Man wußte einstweilen nichts, was man bereden und beraten solle;
und als auch die Herrschaft Triberg, das Uhrenland, mit einer Depu=
tation bedacht wurde, schrieb der Landvogt entrüstet: „Es sei davon
nichts Gutes zu erwarten, sintemalen dies Land nur mit lauter
niederträchtigem Bauernvolk besetzt sei".

Die Kaiserin verzichtete von vornherein auf Durchführung ihres
Handels= und Mautsystems in den Vorlanden.[5] Diese lagen viel zu
sehr im Gemenge mit andern Territorien und waren auf den Ver=
kehr mit diesen angewiesen. Ebenso waren ja seit Colbert die neu=
erworbenen Provinzen Frankreichs, zumal das Elsaß außerhalb des
Zollsystems geblieben. Nur vorübergehend und unter lästiger Kon=
trolle erhielten die Breisgauer Fabrikanten Erlaubnis, ihre Waren
nach dem inneren Österreich zu verführen. So fanden denn diese
versprengten Vorposten der österreichischen Ländermasse Anschluß
an die industriell entwickelteren Gebiete der Nachbarschaft, beson=
ders an die Schweiz. Nachdem die Spinnerei und Weberei sich
unter diesem Einfluß begonnen hatte im südlichen Schwarzwald

auszudehnen, versuchten die Landstände und die Regierung gemeinschaftlich im Jahre 1750 eine Landesmanufaktur für Garn, Tücher, Strumpfwaren zu gründen. Der Statthalter Graf Schauenburg stellte sich selber an die Spitze. Nach dem Muster Württembergs, dem man in Süddeutschland am meisten folgte, hatten auch die Landstände ein weitgehendes Privileg für die neue Unternehmung gewünscht, aber die Kaiserin hat damals mit scharfen Worten jede Beschränkung der Freiheit der Arbeit und jeden Schutzzoll mit dem zureichenden Hinweis auf die Zerstückelung des Gebietes abgelehnt. Hatte aber die Kaiserin andrerseits gehofft, indem sie der Manufaktur den Detailverkauf gestattete, Bresche in die starren Zunftvorrechte zu legen, so traf diese Erwartung nicht ein. Überall sahen sich die ausgesandten Verkäufer auf den Jahrmärkten als Störer und Stümpler behandelt, zünftige Leineweber und Strumpfwirker belegten ihre Waren während der Dauer des Marktes mit Beschlag; binnen kurzem löste sich diese halboffizielle Unternehmung auf.

Besser erging es einem unternehmenden Privatmann, dem Oberzoller Kilian von Waldshut, der sich denn auch in einer Zeit, wo Maria Theresia weniger ihr Auge auf den Breisgau gerichtet hatte, ein Privileg auf 10 Jahre zu verschaffen wußte, durch das ihm zugleich ein Spinntarif mit geringeren Arbeitslöhnen, als sie die Schweizer bezahlten, zugebilligt wurde. Ein heftiger Konkurrenzkampf mit den Schweizern, die sich nicht so ohne weiteres aus ihrem Spinngebiet verdrängen lassen wollten, begann. Von Anfang an trat die Hausindustrie, der Pionier der kapitalistischen Wirtschaftsweise und zugleich ihre bedenklichste Form, demoralisierend auf. Immer wieder haben Fabrikanten und Amtleute dem Ausschlußsysteme das Wort geredet, aber später blieben Maria Theresia wie ihr Sohn diesen Wünschen, deren Unzuträglichkeit für den Breisgau sie klar erkannten, gegenüber fest. Allen möglichen Vorschub wolle sie den Fabriken-Verlegern leisten — ließ sie nach Freiburg schreiben —, aber sie sei nicht gesonnen, solche Privilegia zu erteilen, wodurch andern nützlichen Unternehmungen die Hände gebunden würden.

Wie überall erwartete man auch im Breisgau von der Industrie vor allem, daß sie für nahrungslose Gegenden Brot schaffe, deshalb begünstigte man nur die Hausindustrie und bekämpfte die ersten Versuche der Maschinenarbeit, die den Menschenhänden den Erwerb zu entziehen schien, durch strenge Verbote. Einmal, als es sich um eine solche

Zurückweisung handelte, war die Breisgauer Regierung in Zweifel, ob sie hierzu berechtigt sei; denn sie hatte in den Akten ein Patent gefunden, das einem Grafen Waldstein für eine Spinnmaschine für ganz Österreich erteilt worden war! Allein sie wurde von Wien aus binnen kurzem beruhigt: das Privileg sei eine Gefälligkeit ohne Bedeutung gewesen; denn der Herr Graf habe gar keine Maschine nach seiner Konstruktion zustande gebracht; im übrigen sei man auch in Wien ganz der gleichen Ansicht und gedenke nicht zu dulden, daß Maschinen zum Nachteil Vieler und gerade des ärmeren Teiles der Untertanen eingeführt würden. Allerdings war die Abhängigkeit dieser Arbeiter der Hausindustrie von Unternehmern und Faktoren so drückend wie möglich; immerhin hatte eine gewaltige Vermeh=rung der Bevölkerung stattgefunden; auf dem unfruchtbaren Hauen=steiner Plateau hat diese Epoche sogar eine Übervölkerung hinterlassen, die sich noch jetzt fühlbar macht. Jedenfalls wurde schon unter Maria Theresia das gesamte wirtschaftliche Leben des südlichen oder oberen Breisgaus durch die Textilindustrie umgestaltet. In einem reizenden Wintergedicht Hebels wird das Schneewetter mit dem Austeilen der Baumwolle in der Fabrik verglichen; jeder Mann trägt auf Kopf und Schultern seinen Pack eilig nach Hause — es war eine alltägliche Szene, die der Dichter dieser Landschaften, der, wie Goethe von ihm sagt, so liebenswürdig Sonne, Mond und Sterne und die ganze Natur verbauert, hier benützte.

Wenn man diese ganze organisatorische und verwaltende Tätigkeit der großen Kaiserin überblickt — sie ist ja in allen Erblanden in ähnlicher Weise verlaufen —, so wird man immer wieder erstaunen über jene Fülle der höchsten staatsmännischen Eigenschaft, die bei ihr auch den Mangel an originellen Ideen ersetzt, des Taktes für das im Augenblick Erreichbare. Es ist dieselbe Eigenschaft, die ihrem Sohne Joseph, der ihr in allen anderen gleichsam oder sie übertraf, völlig abging. Schon die Zeitgenossen haben sich dessen kein Hehl gemacht; dieser Grundton klingt aus allen Nachrufen, lobenden, entschuldigenden, verurteilenden gleichmäßig heraus. Und doch war es nötig, daß auf die vorsichtige Frau, die alle Schwierigkeiten, deren sie nicht Herr werden konnte, ignorierend beiseite schob, der ungestüme Mann folgte, der jeden schlummernden Gegensatz aufstachelte und alles, was er als Mißbrauch erkannte oder ansah, so rasch wie möglich nach seinem Ideal umzuformen unternahm.

Im Breisgau selber fehlte es nicht an Gärungsstoff. So war
im Jahr 1770 die Regierung in nicht geringe Aufregung geraten,
als ihr hinterbracht wurde, daß die Vögte der Schwarzwaldgemeinden
eine Zusammenkunft planten, um eine gemeinsame Erkundigung einzuziehen, ob die Kaiserin die Abzugsgelder auf 10% und 5% festgestellt
habe. Es hatte sich das irrige Gerücht verbreitet, ein solches Mandat
bestehe, sei aber von der Breisgauer Regierung zurückgehalten worden.
In Wirklichkeit waren bei den Steuerfassionen der Dominien diese
Ziffern nur als die tatsächlich erhobenen angenommen worden. Die
Bauern wollten zugleich beraten, ob sie nicht eine dahingehende Bitt-
schrift dem Kaiser Joseph auf der Durchreise überreichen sollten. Der
Regierung erschien dies ein so staatsgefährliches Vorgehen, daß sie
anfangs beschloß, die Versammlung in corpore aufzuheben und einige
Wochen im Breisacher Zuchthaus über Ausübung des Petitionsrechtes
nachdenken zu lassen. Man sah hier einen Keim der Empörung und
behauptete, daß die Nachrichten von Bauernunruhen in Böhmen auf-
regend gewirkt hätten; denn so eng war doch schon der Zusammenhang des Staates, daß sich solche Bewegungen in leiseren Wellen-
schlägen über seine ganze Oberfläche fortsetzten. Man besann sich in
Freiburg denn doch, daß ein milderer Weg vorzuziehen sei, aber der
Verlauf dieser zahmen bäuerlichen Verschwörung beweist es, wie
wünschenswert es auch im Breisgau war, daß auf Maria Theresia
Joseph II. folgte.

III.

Die wirtschaftlichen und politischen Reformen Josephs II.

Joseph hatte auf seinen unruhigen Reisen auch den Breisgau
kennen gelernt, und obwohl sich in solchen kurzen Tagen die Besuche
drängten, hatte sein ausgezeichnet geschultes Auge doch alle Schwächen
dieses seltsamen Gebildes, das als Glied eines Großstaates das
Leben eines Kleinstaates fristete, alsbald erkannt: Ein übermäßig be-
setztes Regierungskollegium, das wenig leistet, aber die volle Hälfte der
Einkünfte verzehrt, eine rückständige Verwaltung, eine Universität, so

schlecht, daß man mit der Innsbrucker zusammen kaum eine ordent=
liche aus ihr werde machen können, ein kostspieliges und unnützes
Zuchthaus, in dem die Verbrecher sich besser befänden als draußen
der freie Arbeiter — das sind seine Eindrücke. Und seinem rastlos
Pläne schmiedenden Geist stellten sich alsbald Projekte vor Augen.
Abtauschen will er dieses Land, nur Konstanz behalten, dieses aber
mit Vorarlberg womöglich durch den Thurgau verbinden und zu diesem
Zweck nach alten Habsburger Ansprüchen in den Archiven suchen lassen.
Als Tauschobjekt aber erscheint ihm das noch eben so geringgeschätzte
Land plötzlich überaus wertvoll, so viel wie. ganz Ober= und Nieder=
Bayern.[1] Wir sehen hier die Ansätze jener Arrondierungspolitik, die
Joseph weiterhin durch sein ganzes Leben ohne Glück verfolgt hat.

Waren ihm dergestalt die alten Habsburger Besitzungen am Rhein
und in Schwaben durchaus gleichgültig, so hat doch diese Stimmung
seinen Reformeifer nicht im geringsten gehemmt, und hier wie überall
hat er die Dinge selber verfolgt, alles gewußt, immer im entscheidenden
Augenblick persönlich eingegriffen. Man würde erstaunen über diese
Tätigkeit, die sich bis aufs kleinste erstreckt, wüßte man nicht, daß
dieser Mann keine Erholung kannte als die Arbeit. Zunächst ergoß sich
nun auch über den Breisgau die Flut von allgemeinen und besonderen
Verordnungen, denen binnen kurzem wieder Ergänzungen und Er=
läuterungen folgten. Selbst in unserm statistischen Zeitalter würde
man über die Tabellenwut, die plötzlich in Wien epidemisch wurde,
erstaunen. Die amtliche Neugier verstieg sich bis zu Fragen: „Welche
Leidenschaften, Tugenden, Laster herrschen vorzüglich?“ oder „Trifft
man hin und wieder an öffentlichen Orten ekelhafte Gegenstände oder
Menschen, welche durch ihre Gestalt zu Mißgeburten Anlaß geben
könnten?“ Regierung und landständischer Konseß, jetzt völlig einig
in konservativer Gesinnung, zogen sich sogleich auf die starke Position
des passiven Widerstandes zurück —; die meisten Tabellen blieben
unausgefüllt. Aber sie machten von dieser Waffe auch Gebrauch, wo
Joseph wenigstens von seinen Beamten hätte erwarten dürfen, daß sie
auf seine Ideen mit Eifer eingingen; es wurde erst anders, als Joseph
der Regierung einen Vizepräsidenten setzte, der selber einer der her=
vorragendsten Träger der neuen Zeit in Österreich war. Es war das
jener Joseph von Blank, mit dessen Namen, wie Grünberg erwiesen
hat, die Anfänge einer positiven bauernfreundlichen Agrarpolitik in
den siebziger Jahren in den Ländern der böhmischen Krone ver=

bunden sind. Damals hatte ihn die Kaiserin auf die Dauer gegen
den Unwillen der Magnaten nicht halten können; sie hatte selber in
einem Briefe an ihren zweiten Sohn ihr tiefes Bedauern darüber
ausgesprochen und Blank im Jahre 1779 zum Landvogt der Graf=
schaft Hohenberg mit dem Sitze zu Rottenburg am Neckar ernannt.
Dorther aus seiner schwäbischen Heimat zog Joseph ihn wieder an die
Regierung nach Freiburg, und das Beste, was in der josephinischen Zeit
dort durchgeführt worden ist, ist sein Verdienst. Er hatte wohl aus
früheren Erfahrungen gelernt, in der Form verbindlicher zu sein. In
den nachbarlichen Verhandlungen rechnete man immer auf sein Ein=
treten, wenn mit den anderen nicht auszukommen war. Wie es sich
für einen Agrarpolitiker geziemt, besaß er ebensoviel Geduld wie
Freude am Einzelnen; er wußte störrigen Bauern und verbitterten
Grundherren immer so lange gut zuzureden, bis er sie überzeugt
hatte. Nach Josephs Tode konnte er sich freilich als Vizepräsident
einer ganz reaktionären Regierung nicht halten, er zog sich auf einen
Ruheposten als Stadthauptmann von Konstanz zurück, aber jedesmal,
wenn wieder bäuerliche Angelegenheiten ins reine zu bringen waren,
trat er hervor und bewältigte die Aufgabe rasch und sicher. Als
Konstanz badisch wurde, wollte er Österreich weiter dienen, aber ehe
man für ihn eine passende Anstellung gefunden hatte, starb er.[2]
    Politische Reformen so tiefgreifender Art wie seine Mutter,
hatte Joseph zu vollziehen nicht mehr nötig. Nur dem Adel wurde
der Rest seiner Sonderstellung dem Rechte gegenüber entzogen, indem
seine Priminstanz und die Bestellung der Vormundschaften durch ihn
selbst aufgehoben wurde. Er empfand dies, wie wir sahen, besonders
bitter als eine Degradation. Diese Änderung brachte eine weitere
mit sich. Das Obergericht, die Landrechte, das bisher nur eine Ab=
teilung der Regierung gewesen war, wurde jetzt auch formell von dieser
getrennt und mit eigenen Räten besetzt.
    Solche Verschiebungen berührten die Bevölkerung weniger tief, aber
mehr als in irgendeinem andern Kronlande, Böhmen ausgenommen,
haben die bäuerlichen Reformen Josephs im Breisgau in den über=
lieferten Zustand eingegriffen. Die Aufhebung der Leibeigenschaft im
Jahre 1782 war hier, wo die Abgaben, die aus ihr herflossen, einen
bedeutsamen Teil des Einkommens der Herren bildeten, von hoher
Wichtigkeit, mochte auch die Leibeigenschaft selbst unter allen bäuer=
lichen Lasten gerade am wenigsten schwer empfunden werden. Die

Maßregel war in dem zerstückelten Lande nicht so glatt durchzuführen wie in einem geschlossenen Gebiete. Fremde Leibeigene saßen zahlreich im Breisgau, und in die Rechte ihrer Herren konnte auch Joseph ohne besondere Verträge nicht eingreifen. Die völlige Freizügigkeit herzustellen trug man in einem Gebiete, das beständig unter der Vagabundenplage — der notwendigen Folge der Gemengelage kleiner Territorien — litt, Bedenken. Nur diejenigen, welche imstande waren, sich aus eigenen Mitteln oder mit Handarbeit zu ernähren, erhielten sie. Anfangs wurde den Leibesherren noch eine geringe Manumissionsgebühr von 2 fl. zugebilligt; auch sie wurde wenige Jahre später aufgehoben und nur ein staatliches Abzugsgeld beibehalten. Auch dieses sollte aber nur dazu dienen, um die Nachbarn ihrerseits zur Einführung der Freizügigkeit zu veranlassen. Das Mißtrauen gegen die Person und die Maßregeln Josephs war jedoch bei allen kleinen Territorialherrschaften so groß, daß man wenig Erfolg von dieser Maßregel verspürte.[3]

Im Lande selber zeigte sich sofort, wie unklar die Herkunft und damit der Rechtscharakter der einzelnen Untertanenschuldigkeiten war. Die eigentlichen, als solche bezeichneten Leibeigenschaftsabgaben waren gering und um ihretwillen hätten die Stäube keinen Streit angefangen, aber das Abfahrtsgeld beim Wegzug der Bauern und von der Mitgift ausheiratender Bauerntöchter war um so beträchtlicher. Es wurde bisher nach dem Gutswert berechnet und daraus schlossen die Dominialherren, daß es keine an der Person haftende, sondern eine von jenen dinglichen Abgaben sei, deren Fortbestehen ausdrücklich in dem Edikt selber anerkannt war. Sie verlangten stürmisch einen allgemeinen Landtag. Die Gelegenheit schien ihnen günstig, auf einen solchen zurückzugreifen. Doch der Agent v. Müller, den sie in Wien besoldeten, teilte ihnen mit, daß der Kaiser auf ihre Beschwerden sofort persönlich entschieden habe: Das Abfahrtsgeld sei und bleibe wie in den anderen Landen so auch im Breisgau zum Besten der Untertanen aufgehoben.

Die Stände gaben ihre Sache noch nicht verloren. Sie schickten im Jahre 1785 den angesehensten Mann und besten Diplomaten aus ihrer Mitte, den Fürstabt Gerbert von St. Blasien, mit ihren Beschwerden nach Wien. Die Berichte, welche Gerberts Begleiter Ribbele, sein späterer Nachfolger als Abt, in seinem Auftrag erstattete, geben ein anschauliches Bild des josephinischen Wien. Selbst unter Joseph fiel nach

altem guten Brauch österreichischen Beamten ein rundes „Nein“
einem angesehenen Manne gegenüber schwer. Eine Behörde schützte
immer die andere vor; so versicherte man in der Hofkanzlei Gerbert:
„Man sehe wohl ein, daß diese Nutzung den Dominien unbillig
entzogen werde, allein die oberste Justizstelle wolle durchaus Gleichheit
haben und den Zug der Untertanen in allen Erbländern frei wissen“.

Deutlicher gingen Josephs nächste Vertraute mit der Sprache
heraus. Recht amüsant schildern die geistlichen Herren eine Audienz,
die sie bei einem „der neuen Solonen“ gehabt hätten, und die Bemühungen desselben, sie zu seinen Ansichten zu bekehren. Ihnen erschienen freilich diese Grundsätze als eine Verkehrung aller Vernunft,
und sie teilten sie nur zu Nachachtung und Warnung mit. Es sind
dieselben Grundsätze, welche als josephinische Tradition das Erbe des
Liberalismus in Österreich und vor allem in Baden geblieben sind.
Sie beginnen damit, daß die Untertanen, und insbesondere die Bauern
als die edelste Klasse der Menschen möglichst frei gemacht werden
müssen und keine andern Abgaben zu entrichten schuldig seien als jene,
die das gemeine Beste zur Absicht haben. Wahres Eigentum der
Dominialherren, in das auch der Landesherr niemals eingreifen dürfe,
sei nur das, was sie durch Kontrakte mit den Untertanen, die aber
jedesmal besonders bewiesen werden müßten, erworben hätten; selbst
tausendjähriger Besitz und höchste Privilegierung hinderten den Landesfürsten nicht, die Gesetze abzuändern, durch die der Gesamtheit schädliche Zugeständnisse gemacht worden seien; ja, er sei dies sogar aus
Gewissenstrieb schuldig. Eine Entschädigung habe der Verlierende
ebensowenig zu fordern wie der, dem sein erkauftes Haus durch ein
Erdbeben zugrunde gehe.

Den beiden Prälaten war es allerdings zumute, als ob ein
Erdbeben den Staat, der bisher vor allen der ruhige gewesen war,
erschüttere. Der aufgeklärte Freund Josephs eröffnete ihnen die für
sie besonders angenehme Aussicht, daß nach dem Abfahrtgeld der Zehnt
an die Reihe komme, der durchaus ungerecht sei, wo er nicht zum
Unterhalt der Religionsdiener bestimmt sei. Er schloß mit der vollen
Überzeugungstreue eines Gläubigen mit dem Bekenntnis des Natur-
rechts: „Dieses allein seien die wahren, gerechten Grundsätze, die so
alt seien wie die Welt selbst, und die man allein vor dem Richterstuhl
Gottes verantworten könne“. „Celsissimus (der Titel Gerberts) und
ich“, fügte der ironische Ribbele hinzu, „konnten daraus entnehmen,

von wievielen dergleichen Ungerechtigkeiten das Gewissen der Dominien
instünftig noch dürfte gereinigt werden. Ich unterfing mich zwar,
ein und andere Einwendung zu machen, allein das zarte Gewissen
dieses Mannes wies mich gleich zurecht, so daß ich fast mich unter=
standen hätte, mich in dieses heiligen Mannes frommes Gebet zu
empfehlen."

Man würde dem großen Gelehrten Gerbert unrecht tun, wenn
man annähme, daß er nur für das Fortbestehen einer einzelnen ver=
alteten Abgabe gekämpft habe. Er trat hier als Staatsmann wie
sonst als Gelehrter ein für jene ganze historische Welt, in der er lebte
und webte; der Aufklärungseifer erschien ihm ebenso ungebildet wie
schädlich, und man versteht in seinem Sinne die Bitterkeit, mit der
sein Sekretär schließt: „Ich bewundere nun gar nicht, daß es hier als
gewiß ausgegeben wird, daß alle alten Juristen, Kanonisten, Theologen
und Asketen durch eine kaiserliche Verordnung in die Papiermühle
zum Stampf verurteilt seien, wie man denn wirklich anfängt, die
Bibliotheken zu durchsuchen; denn ferner können solche Lehrer der Un=
gerechtigkeit nicht mehr geduldet werden".

Nach dieser Vorbereitung konnte der Erfolg der Audienz Gerberts
beim Kaiser nicht mehr zweifelhaft sein. Joseph nahm die Denkschrift
der Stände persönlich aus seiner Hand entgegen. Ihr Inhalt war
so, daß er die Überzeugung des Kaisers von der Richtigkeit und Not=
wendigkeit seines Vorgehens nur bestärken konnte. Hier sah er die
Freizügigkeit als solche bekämpft: Sie passe nicht — hieß es in der
Denkschrift — für ein so dicht bevölkertes Land und werde nur eine
Vernachlässigung des Ackerbaus zur Folge haben; — es ist der un=
sterbliche Weheruf der Agrarier aller Zeiten, den die Wirklichkeit immer
widerlegt hat. Übrigens, hieß es hier weiter, sei überhaupt eine solche
Ordnung nur in geschlossenen und nicht in vermischten Provinzen
möglich. Möge der Kaiser doch in seinen Kameralherrschaften tun,
was ihm beliebe, sie aber könnten bei ihrem geringen Vermögen es
ihm nicht nachtun und müßten zum mindesten auf voller Entschädigung
bestehen. Diesen Punkt, der doch am meisten für sie gesprochen hätte,
deuteten die stolzen Breisgauer Stände, um sich nichts zu vergeben, nur
zaghaft an; doch wiesen sie darauf hin, daß ihre Grundherrschaft
und deren Einkünfte zum Unterschied von den großen böhmischen
Gütern fast nur in gelegentlichen Leistungen der Bauern beständen, daß
z. B. die großen Schwarzwaldhöfe ihnen bei Lebzeiten des Besitzers

faſt nichts, ſondern nur bei Änderung der Hand die beträchtlichen Gefälle zahlten.

Auch die 13 Städte des Breisgaus hatten ſich, durchaus konſer-
vativ geſinnt, den Rittern und Prälaten angeſchloſſen. Sie wollten
die bequeme Einnahme aus Einzugs- und Abzugsgeldern nicht entbehren; einige von ihnen beſaßen ſie durch beſonderen Vertrag mit
der Regierung. Solche Verträge reſpektierte Joſeph, ſeinem Grundſatz
gemäß; im übrigen lautete ſeine Antwort ſchlechthin ablehnend.

Eins jedoch hatte Gerbert auf dieſer Reiſe gelernt: die Taktik
des Widerſtandes, und er ſchärfte ſie ſeinen Mitſtänden ein. Dieſe
hatten geglaubt, durch ein Anerbieten ſich von einem größeren Opfer
loskaufen zu können. Soeben hatte Joſeph eine neue Taxordnung
mit ſehr ermäßigten Sätzen für Vorderöſterreich publiziert und dabei
das Prinzip ausgeſprochen, daß eine völlig unentgeltliche Rechtspflege
angebahnt werden ſolle. Die Stände bezeigten ihm hierauf ihre Ge-
neigtheit, auf den Reſt der ihnen zuſtehenden Gerichtsgebühren zu
verzichten, wenn man ihnen nur das Abfahrtgeld laſſe. Sofort
warnte Gerbert: Obwohl auch er ſich der glänzenden Seite dieſes
Projektes nicht verſchließe, hoffe er doch die unentgeltliche Rechtspflege
noch zu hintertreiben; denn zurzeit ſeien in Wien Anträge mit Bedingungen nicht ratſam, weil die Opfer gern angenommen, die Bedingung aber nicht erſtattet werde. — In der Tat ſetzte Joſeph ſofort
die Tagegelder der herrſchaftlichen Gerichtsbeamten von 3 fl. auf 1½ fl.
herab, gab aber nichts dafür. Das merkten ſich die Stände. Fortan
wußten ſie ſich mit ſtillem Widerſtand bis zum Tode des Kaiſers zu
gedulden, um dann doch zu ihrem Ziele zu gelangen.[4]

Nicht die Beſchwerden der Stände allein gelangten zu Joſephs
Ohren, ſondern auch die der Untertanen, und ſie waren ſtets eines
beſſeren Gehörs ſicher.[5] Seit langem lag die Gemeinde Schwerſtetten
bei Wehr mit ihrem Grundherrn, dem Freiherrn von Schönau, im
Prozeß. Es war ein Rechtsſtreit wie unzählige andere, wie ſie ein
Zubehör der grundherrlichen Verfaſſung bildeten. Über die Auslegung
der Weistümer, die 1586 und 1666 vereinbart waren, über die Echt-
heit einiger Urkunden, die die Gemeinde beſtritt, hatten ſich alte und
neue Beſchwerden gehäuft, und die ſchlecht bezahlten herrſchaftlichen
Beamten vermehrten ſie, indem ſie durch allerlei kleinen Gewinn auf
Koſten der Bauern ihre magere Beſoldung aufzubeſſern trachteten.
Man konnte ſich nicht einigen über das Maß und die Art der Fron-

ben, die an sich nicht eben groß waren; namentlich das viele Boten=
laufen war den Bauern ärgerlich, und die Gemeinde behauptete, nur
einmal in der Woche zu einem Boten verpflichtet zu sein. Da gab
es Zank über kleine Regierungsrechte der Herrschaft, die längst sinnlos
geworden waren, wie Wachtdienst und Anmeldung auf dem Schlosse,
da gereichte, wie jetzt überall, die alte bäuerliche Rechtspflege der
Frevelgerichte, bei der hier noch ein ganz urwüchsiges Verfahren
mit Eideszwang ohne Zeugenverhör innegehalten wurde, den Bauern
zur Last. Die Klagen über Wildschaden fehlten natürlich nicht. Die
Verwaltung der freiwilligen Gerichtsbarkeit, Erbschaftsteilungen, Mark=
scheidungen und dergleichen war für den Herrschaftsbeamten zur besten
Nahrungsquelle geworden; und die Herrschaft selber hatte es verstanden,
aus dem Mühlenzwang und namentlich aus der Verpachtung des
Salzkastens erhöhte Einnahmen zu erzielen; war doch der Ertrag der
Abgabe vom Faß Salz dadurch allmählich von 8 kr. auf 1 fl. 24 kr. ge=
steigert worden. Jetzt aber waren durch die Aufhebung der Leibeigen=
schaft bei den Bauern weitere Wünsche erregt worden: auch das Fall=
recht, bei dem von jeher Leib= und Güterfall ununterschieden durch=
einander gingen, hielten sie für abgeschafft und ebenso das „Weiber=
einkaufsgeld". Als solches wurden 3 fl. 20 kr. für jede 1000 fl.
Vermögens der fremden, d. h. aus einem andern Dominium in die
Schönauer Herrschaft heiratenden Frau erhoben.

Die Akten dieses Prozesses kamen in die Hand Josephs, da sich
die Bauern nicht bei den Vorentscheidungen beruhigten, zumal sie
sahen, daß jede höhere Instanz etwas günstiger für sie sprach als die
vorhergehende. Die Hofkanzlei in Wien konnte bereits darauf ver=
weisen, wieviel schon durch die bisher durchgeführten Reformen des
Kaisers gebessert worden sei. Die neue Taxordnung machte in Zu=
kunft Ausschreitungen der Beamten unmöglich; die Fallgebühren waren
soeben, wie wir gleich sehen werden, in einer Weise geordnet worden,
die den bäuerlichen Wünschen weit entgegenkam. Das Zwangsmühlen=
recht riet die Kanzlei auf die Lohnmüllerei einzuschränken, die Freiheit
des Verkehrs mit Getreide und des Einkaufs von Mehl dagegen festzu=
stellen. Das Weibereinkaufsgeld schlug sie vor entgegen dem Entscheid
der Breisgauer Regierung völlig aufzuheben: Sei das Abfahrtsgeld
abgestellt, so sei es nur folgerichtig, auch die Einkaufsgelder abzuschaffen,
zumal es doch im Interesse jeder Grundherrschaft selber liege, die Ein=
wanderung fremden Vermögens zu begünstigen.-

Joseph aber ging über diese Vorschläge noch weit hinaus. Man sieht hier recht deutlich, wie er sich an einem Einzelfall zu unterrichten und dann sogleich eine allgemeine Entscheidung zu treffen pflegte. Es ist das die Methode der aufgeklärten Despotie, die ihr Bedenkliches hatte, mit der aber Regenten von seinem und Friedrichs II. Schlage allein vorwärts kamen. Er drang nicht nur auf schleunige Beseitigung des Weibereinkaufsgeldes, das auch im nächsten Jahre fiel, sondern er verfügte auch von sich aus zwei weitere einschneidende Maßregeln: unverzügliche Aufhebung des Salzmonopols der Herrschaften überhaupt und Abschaffung aller Zwangsmühlenrechte; und da die Breisgauer Regierung die Beibehaltung damit motiviert hatte, daß es in den Kameralherrschaften ebenso gehalten werde, verfügte er, daß in diesen auch sofort der Anfang mit der Aufhebung gemacht werde. Die Salzkastenrechte waren einst von den Ständen ausbedungen worden. Die Mitbeteiligung war der Preis gewesen, um den man den Fürsten des 16. Jahrhunderts das Salzmonopol eingeräumt hatte, jetzt zog sie der Landesherr als ein unverlierbares Recht der Krone zurück, ohne sich erst viel mit verfassungsmäßigen Bedenken abzugeben. Zugleich stellte Joseph aus Anlaß der Botengänge den Grundsatz fest, daß überhaupt keinerlei „Robot" außerhalb der Dominien selber gefordert werden dürfe; endlich sollten den Amtleuten noch nachträglich alle zu Unrecht erhobenen Diäten und Taxen abgenommen und zum Besten der Armen verwendet werden.   .

So hatte Joseph drei weitere große Stücke aus den Einkünften der Herrschaften gebrochen ohne eine Entschädigung zu bewilligen. Etwas mehr Rücksichten hatte er bei der Regulierung der Fallgebühren bewiesen.[6] Überall stand der Grundsatz fest, daß die Herrschaft beim Tode des Besitzers eines grundhörigen Gutes das beste Stück Vieh, „vom Stiere bis zur Gais" als Güterfall nehme, aber es war sehr häufig, daß sie sich mit den Erben auf ein „Fallsurrogat" einigte. Die Größe desselben war in den einzelnen Dominien verschieden, und auch in ein und derselben Herrschaft erfuhren die kleinen Leute meist eine Begünstigung vor den Reicheren. Von den Großbauern auf dem Schwarzwald erhob man den vollen Betrag. Hier waren 120 fl. sogar nicht selten. Der Grundherr hatte stets den Vorzug vor allen andern Forderungen, denn der Fall ging aus der ungeteilten Masse.

Im Jahre 1786 kündigte Joseph dem landständischen Konseß an, daß er das Besthaupt in eine feste Geldabgabe umwandeln werde, da es den veränderten Zuständen gar nicht mehr angemessen sei und wahrscheinlich den Bauer oft vom Halten guten Viehes abhalte. Noch einmal suchte die landständische Interessenvertretung alle für sie so nütz- lichen Naturalabgaben zu retten: Man vergleiche sie immer mit Böhmen, als ob es bei ihnen überhaupt Bauern gebe, die 4 Tage in der Woche fronden müßten und im Breisgau nicht bloß 4 Tage Frond aufs Jahr kämen. Sie weissagen, daß die Gemeinden, die jetzt voll Be- gierde nach dem Frondgeld griffen, bald nach der Naturalfrond seufzen würden. So sei es mit dem Versuch, die Drittelsschuldigkeit umzuwandeln, auch gegangen; die Bauern hätten sich, sobald sie der Konsequenzen inne geworden, selber dagegen erklärt. Bisher seien noch nie Klagen über das Besthaupt von den Bauern erhoben worden, während sie doch, dank der Tätigkeit des Untertanen= advokaten sonst alles bemängelten, einige „tolle Gemeinden" aus- genommen, die überhaupt nicht mehr Bauern und Untertanen heißen möchten und sich gegen alle Abgaben kehrten. Um zu zeigen, wie sehr die Grundherren durch die beabsichtigte Umwandlung ge- schädigt würden, machten sie einige Angaben über den Stand der Viehzucht im Breisgau, die sich als richtig erfanden: Die Viehzucht stehe, was Ochsen anlange, im Breisgau auf dem möglichst hohen Standpunkte; alles Weideland sei schon dafür ausgenutzt; der Viehhandel werde immer schwunghafter betrieben, nicht nur nach dem Elsaß und der Schweiz wie früher, sonst jetzt auch nach Paris finde eine stetig steigende Ausfuhr statt. Die Bauern brauchten gar nicht mehr den Markt zu besuchen, sondern der Pariser Metzger und sein Straßburger Kommissionär bereisten das Land und dem einheimischen Metzger bleibe tatsächlich nur Magervieh übrig. Dieser „hocherfreuliche Zu- stand" habe zu einem Steigen der Preise für Mastvieh um 50% in 10 Jahren geführt. (Der Mastochse von 55 fl. auf 77, der Zug= ochs von 44 auf 66, die Kuh von 25 auf 40, das Kalb von 5 auf 9) und diese Aufwärtsbewegung halte noch an.

Es schien den Herren unerhört, daß dem Bauern allein und nicht auch ihnen diese Wertsteigerung zufallen solle, Joseph im Gegenteil erschien es selbstverständlich. Wenn wir uns diesen Zustand des Vieh- handels vergegenwärtigen, der einen so durchaus modernen Eindruck macht, indem die Stellung der Breisgauer Viehzucht zu Paris genau

die gleiche ist, wie heute die der österreichischen Alpenländer zu den
Märkten des westlichen Deutschlands, so erkennen wir auch, wie sehr
Josephs Agrarreformen dadurch gefördert wurden, daß sie in eine
Zeit landwirtschaftlicher Blüte fielen. Denn Güter soll man zwar
kaufen in schlechten Jahren, Agrarreformen aber vollziehen sich nur
leicht in guten. Joseph hat auch hier die Früchte der sorgsamen
Kulturpolitik seiner Mutter geerntet.

Auf entschiedenes Drängen von Wien aus entschloß sich die
Breisgauer Regierung endlich ans Werk zu gehen. Anfangs hatte
sie nur an der Härte der Geldabgabe für die kleinen Tagelöhner
etwas auszusetzen; schließlich hat sie gerade diese Erwägung hintan-
gesetzt. Das Gesetz vom Jahre 1787 sollte alle Ungleichheiten be-
seitigen. Fallrechte wurden jetzt überhaupt nur zugelassen, wenn sie
sich auf rechtsgültige Urkunden oder auf verjährten Besitz gründeten,
was freilich überall zutraf. Es wurde für sie eine gleitende Taxe
nach der Größe des Guts festgesetzt, so daß das Minimum von 10 fl.
für alle Güter unter 20 Joch betrug, das Maximum von 40 fl.
bei einer Gutsgröße von 50 Joch eintrat.

Die Dominialherrschaften berechneten in glaubhafter Weise, daß
ihnen hierdurch zwei Drittel der bisherigen Bezüge genommen seien,
und dennoch befriedigte die Reform auch die Breisgauer Landbevölke-
rung nicht. Sie war augenscheinlich nur im Interesse derjenigen
Gruppe getroffen, die Joseph wie so vielen Agrarpolitikern nach ihm
besonders am Herzen lag: der Großbauern. Die kleinen Leute, die
bisher ein paar Kreuzer statt ihrer Gais oder höchstens 5 fl. statt
ihrer mageren Kuh gegeben hatten, sahen sich stärker als früher be-
lastet. Damit es auch an einem Kuriosum nicht fehle, hatte man
bei Bemessung der Gebühr nach der Morgenzahl nur den Güterfall
berücksichtigt und den Leibfall vergessen. Wahrscheinlich war man in
Wien der Meinung, daß mit der Aufhebung der Leibeigenschaft auch
diese Last, deren Name schon auf den Ursprung zu deuten schien, wegge-
fallen sei, und gewiß würde sie Joseph, wenn die Sache zu seiner Kenntnis gelangt wäre, mit einem Machtspruch beseitigt haben. Aber ausdrücklich genannt war der Leibfall nirgends, und so blieb er eben bestehen. Wir würden die historischen Kenntnisse der Breisgauer Regierung zu hoch anschlagen, wenn wir annähmen, daß dies aus der
Einsicht geschehen sei, daß der Leibfall in der Tat bisweilen anderen
Ursprungs sein könne. Nicht vergessen hatte man jedoch die Drittels-

abgaben bei der Handänderung der Güter. Der Untertanenadvokat hatte sie bereits im Jahre 1782 bestritten, aber die Regierung hatte sie als unzweifelhaft dingliche Rechte anerkannt und Joseph war nicht mehr auf sie zurückgekommen. Bei den Bauern im Breisgau setzte sich aber die Meinung fest: auch diese Abgabe habe der Kaiser abgeschafft und sie bestände nur noch zu Unrecht weiter.

Hier treffen wir auf den Hauptmangel, der der ganzen josephinischen Agrarreform in Vorderösterreich anhaftete. Sie war gewaltsam ohne gleichmäßig zu sein. Der Reformeifer ging von Fall zu Fall vor; man nahm sich die stärksten, wenn auch unvermeidlichen Eingriffe in das private Eigentum nicht übel, aber an eine wirklich umfassende, juristisch durchgebildete und deshalb unanfechtbare Ablösungsgesetzgebung dachte man nicht; und deshalb war das Fundament aller dieser Reformen einstweilen noch so unsicher, daß es in den Stürmen nach Josephs Tode wieder ins Wanken geraten konnte. Das war der Nachteil dieses persönlichen Vielregierens!

Wenigstens auf zwei Gebieten, bei der Umwandlung des ungesicherten Lehensbesitzes und der Fronden, ist das Prinzip der Ablösung mit Einverständnis beider Teile zur Durchführung gekommen. Dies ist ganz und gar das Verdienst Blanks gewesen. Schon im Dezember 1782 hatte der Kaiser ein Edikt erlassen, durch welches die Einführung des Eigentums bei den sogenannten Schupflehen anbefohlen wurde. Die im Breisgau ermittelte Anzahl war gering, während im schwäbischen Gebiete die Gnadenlehen, welche wieder den bayerischen Neustiftgütern ähnlich waren, häufig vorkamen. Nur im Gebiet der Abtei Schuttern, der Stadt Neuenburg, wo sie Raublehen genannt wurden und der Kommende Heitersheim waren sie in größerer Anzahl vorhanden. Mißmutig meinte der Abt von Schuttern: Auch wenn man den Lehenskonsens seines obersten Lehensherren, des Bischofs von Bamberg, erlange, so sei doch zu bedenken, daß die Untertanen, mit denen er seit vielen Jahren im Prozeß lag, viel zu arm seien, um die Güter zu bezahlen, da sie doch schon jetzt nicht imstande seien, die übrigen Schuldigkeiten pünktlich zu entrichten. Solche pessimistische Berufung auf den verwahrlosten Zustand einer Bevölkerung verfing bei dem erfahrenen Blank nicht. Er gewann vielmehr, als er diese Aufgabe übernahm, die Hofkanzlei und den Kaiser dafür, daß hier und anderwärts auch gleich eine Fronbablösung damit verbunden wurde. Endlich war die Zeit für diese Reform, die den Bauern in den Vollbesitz

seiner Arbeitskraft setzen sollte, gekommen, während bisher frühere
Versuche, auch solche Maria Theresias, gerade an der Abneigung der
Pflichtigen gescheitert waren. Bisher hatte der Bauer eben immer
noch geglaubt, weit eher Zeit als Geld überflüssig zu haben.

Blank trat 1784 an die Spitze einer Kommission, die den Auftrag erhielt, nicht nur in den Kameralherrschaften, wo es ja keine
Widerstände zu überwinden gab, sondern auch auf allen geistlichen,
städtischen und Stiftungsgütern die Fronden abzulösen, d. h. in eine
laufende, jährliche Abgabe an Geld und Naturalien umzuwandeln.
Im Laufe weniger Jahre wurde die Reform in diesem Umfange
durchgeführt. Von den Prälaten hielten sich nur St. Blasien und
Säckingen stolz zurück. Die Ritterschaft zu nötigen wäre ebenso aus-
sichtslos gewesen wie sie zu gewinnen. Mit immer gleicher Liebens-
würdigkeit und rastloser Tätigkeit wurde Blank der Schwierigkeiten
Herr. Im Grunde atmete Alles auf, endlich die unsterblichen Frond-
prozesse los zu werden. In der Ortenau berief Blank eine Versammlung aller Gemeindevorsteher sowie der reichsstädtischen Vertreter nach
Offenburg, und regelte mit ihnen unter möglichster Einschränkung der
Naturalfronden die Baupflicht für die noch ungebändigte Kinzig,
wie er es vorher schon für die Elz durchgeführt hatte. Es kam
zum erstenmal ein bewußtes Vorwärtsstreben in die Bevölkerung:
Die Stadt Neuenburg bat Blank, die Reform möglichst zu beschleu-
nigen, weil die Besitzer der Schupflehen ihre Güter nicht ordentlich
bauten, solange sie über ihr weiteres Schicksal in Zweifel seien. Über
seinen Auftrag hinausgehend bewog Blank mehrfach die Herrschaften,
auch Pachthöfe in Erblehen umzuwandeln, so die Johanniter von
Heitersheim.

Wenn diese Reform sich so glatt abwickelte, so lag es doch vor-
nehmlich daran, daß Blank ängstlich bemüht war, die bestehenden
Wirtschaftsinteressen nicht zu verletzen. Eine wirkliche Ablösung, die
in eine völlige Aufhebung der Schuldigkeit hätte auslaufen müssen,
lag noch außerhalb der Berechnung; denn durch sie wäre das Band
der Grundherrschaft mehr gelockert worden, als man selber wünschte.
Es wäre auch die Abneigung der Ritterschaft, die man jetzt glaubte
überwinden zu können, sobald sich in den geistlichen Nachbarschaften
der günstige Erfolg zeigte, nur noch verstärkt worden. So wurden
denn regelmäßig zuerst für die Fronden Pauschsummen in Korn, je
eine für den spannfähigen Bauern und eine für die mit der Hand

fronenden Tagelöhner, festgesetzt.* Für ihre Entrichtung war die gesamte Gemeinde haftbar. Blank ging dabei von der nationalöko= nomischen Ansicht aus, daß einer bestimmten Menge Arbeit auch eine bestimmte Menge Getreide entspreche. Nach seinem Entwurfe war der Gemeinde, aber nicht dem einzelnen die freie Wahl vorbehalten, ob diese Abgabe in Korn oder nach dem Durchschnittspreise des nächsten Wochenmarkts in Geld entrichtet wurde. Joseph jedoch traf bei der Prüfung des ersten Kontrakts (9. September 1784 mit Schuttern) die Änderung, daß auch jedem einzelnen Untertanen die Wahl zwischen Korn= oder Geldzahlung offen blieb. Blank gehörte eben noch der Schule Maria Theresias an, Joseph vertrat eine mehr individualistische Gesellschaftsauffassung.

Auch jetzt glaubte man nicht alle Fronden entbehren zu können: Zwei halbe Tage Jagdfron und alle zwei Jahre einen Botengang sollte der Untertan auch ferner leisten. Keineswegs glaubten sich die Herrschaften für ihre eigene Wirtschaft auf den freien Arbeitsmarkt — Wort und Begriff sind der Zeit natürlich noch fremd — verlassen zu können, und ebenso waren jetzt, wo der Geldlohn eingeführt werden sollte, die Bauern eifersüchtig darauf bedacht, daß er nicht ihrer Ge= meinde entgehe. Blank traf den Ausgleich dahin, daß sich wiederum die Gemeinden verpflichteten, unter Festsetzung eines dauernd gleichen Lohnes und der Beköstigung die nötigen Tagelöhner für eine eben= falls festbestimmte Anzahl von Arbeiten — Holz= und Zehntfuhren, Grabenräumen, Düngen der herrschaftlichen Reben — zu stellen. Die Löhne wurden eher zugunsten der Pflichtigen als der Berechtigten vereinbart; denn man nahm damals an, daß sich die Löhne im freien Verkehr wieder ermäßigen würden.

Nur ungern ließ Blank bei einigen Herrschaften zu, daß das Frondäquivalent nach dreijährigem Durchschnitt berechnet und beweg= lich gemacht wurde. In diesen Fällen erwachte bald wieder die Un= zufriedenheit; denn schon wollte der Bauer im Grundherrn nicht mehr den Miteigentümer sehen, der an jeder Wertsteigerung seinen Anteil nimmt, sondern nur den Gläubiger, der im Besitz einer festen Grund= schuld ist. Weit entfernt, sich gegen die Unveränderlichkeit der Lasten zu sträuben, erschien sie ihm wie Blank, gerade als der wünschenswerte

---

* Dieser sogenannte Fronbweizen sollte fortan eine unveränderliche Grund= last bleiben, gleichviel ob die Anzahl der Pflichtigen sich vermehre oder ver= mindere.

Zustand. Und gaben ihm nicht die Erfahrungen von Jahrhunderten recht? Waren nicht bisher noch immer alle festen Abgaben durch Wertverminderung leichter und alle beweglichen drückender geworden? So wollte man hier überhaupt nur eine Reform des alten Zustandes, nicht einen völlig neuen, wie man etwa in Süddeutschland bis heute eine Flurbereinigung, bei der man mit den Parzellen nur „rutscht", einer radikalen Zusammenlegung vorzieht.

Jedermann galt daher hier auch die Form der Erbleihe noch als das normale und erstrebenswerte Verhältnis zwischen Bauern und Herrn. Wenn nur, wie es jetzt geschehen, die Leibeigenschaft in Wegfall kam, die Fronden umgewandelt, die Erbschaftsabgaben verringert und reguliert, der Kanon fest bestimmt, der Veräußerung und dem Wegzug keine Schwierigkeiten bereitet wurden, schien alles Wünschenswerte erfüllt. Die Zeiten mußten sich erst von Grund aus verändern, die Revolution mußte erst im Nachbarland auf neue Ideen einen neuen Zustand bauen, ehe man sich die Ziele weiter steckte. Von Wien kam einmal eine Anregung.[3] Im Februar 1787 erließ der Kaiser ein Dekret für Vorderösterreich: Die Ursachen, aus welchen Bischöfe und Äbte vormals verschiedene Güter als Lehen an weltliche Besitzer gegeben hätten, beständen jetzt nicht mehr, sondern alle Güter der Kirche erhielten jetzt vom Staat ihre Verteidigung und Beschützung; es sollten deshalb diese Güter um einen billigen Kaufschilling von den Inhabern gelöst werden. Wahrscheinlich waren hierunter in dem etwas unklaren Erlaß nur echte Lehen verstanden. Solche Mannlehen gebe es überhaupt längst nicht mehr im Breisgau, antwortete der ständische Konseß; und in der Tat waren die landsässigen Prälaten sämtlich ihre Ministerialen wie ihre vornehmen Vasallen losgeworden, während der Güterbesitz der reichsfreien Abteien der Nachbarschaft großenteils von ihren Lehensleuten aufgezehrt worden war. „Die bäuerlichen Erblehen, die man doch richtiger ewige Pachtgüter nennen würde, und die in den Vorlanden allgemein üblich seien, könne der Kaiser doch unmöglich meinen", fügte der Konseß bedenklich hinzu, „denn soeben seien ja die Schupflehen erst auf seine Veranlassung in solche verwandelt worden."[3]

Lockerte sich durch alle Reformen Josephs das althergebrachte Herrschaftsverhältnis beträchtlich, so gilt ein Gleiches von der ebenso alten und noch unbeweglicheren Gemeindeverfassung.

Am tiefsten griffen hier die Versuche Josephs zur Umgestaltung der städtischen Verfassung. Freilich vermochte auch hier sein gewalt-

sames Vorgehen nicht, den Bürgerstand aus seiner Apathie und seiner
verrotteten Privilegienwirtschaft aufzurütteln. Wenn es sich nur um
einen kurzen Übergang gehandelt hätte, wäre vielleicht sein Heilmittel
einer rein bureaukratischen Ordnung das beste gewesen; so aber meinte
er es nicht. Mit einem Stoße vernichtete er die alten Stadtver-
fassungen und führte eine gleichmäßige juristische Magistratsverfassung
ein. Nach dieser waren alle unstudierten Bürger von den Ratsstellen
ganz ausgeschlossen, die Zunftmeister, die als Repräsentanten der
Bürgerschaft neben dem Rat bestehen blieben, verloren jedes Stimm-
recht in „politischen Angelegenheiten", d. h. in allgemeinen Verwaltungs-
sachen; das Bürgermeisteramt, mit erhöhter Macht ausgestattet, sollte
immer nur auf vier Jahre besetzt werden. Joseph respektierte aber auch
das freie Wahlrecht der Bürgerschaft und seine eigene Ordnung nicht.
Vielleicht glaubte er auch durch alte Offiziere in den Ratsstellen und
durch Militäranwärter in den Subalternposten soldatische Zucht in die
Vetternwirtschaft zu bringen. Die Städte aber empfanden es sehr
übel, daß ihnen solche Leute aufgedrängt würden, die, wie sie klagten,
nicht einmal Generalkenntnisse, geschweige denn Lokalkenntnisse besaßen.
Sie sprachen den richtigen Grundsatz aus: „Belohnung geleisteter
Dienste zieme dem ganzen Lande und sei nicht auf die Städte allein
zu legen."[9]

Die städtische Gewerbeverfassung blieb beim alten, aber die Ausübung wurde milder, seitdem die Zunftmeister nicht mehr im Rate
den Ausschlag gaben. Sofort ertönten denn auch die Klagen der
Handwerker: durch die Annahme fremder Leute würden die Gewerbe
übersetzt, so daß keiner mehr sein genügendes Auskommen finde und
einer durch den andern verarme. So klagten sie auch über die Ein-
schwärzung „fremder Handwerkswaren" außerhalb der Jahrmarktszeit,
wobei sie unter „fremd" nicht etwa „ausländisch" verstanden, und
schließlich fühlten sie sich auch beeinträchtigt durch die Verpflanzung
zu vieler Handwerker und Handelsleute aufs Land.[10] Andere Stimmen
machten sich in den Bürgerschaften noch nicht geltend, so daß denn
auch mehr als diese Alltäglichkeiten vom städtischen Leben nicht zu
berichten ist. Wie ganz anders reich an Gedanken und Bestrebungen,
an Wirkungen und Gegenwirkungen, also auch an historischem Interesse
ist doch die Agrarpolitik in dieser josephinischen Zeit!

Auch die bäuerliche Gemeindeverfassung erhielt wenigstens in einem
Punkt einen bedeutsamen Anstoß. Das unbeschränkte Zugrecht der

Gemeindegenossen bei Güterkäufen gegen alle Ausmärker, gleichviel ob sie Österreicher waren oder nicht, wurde schließlich den Berechtigten selber unerträglich. Noch 1771 hatte Maria Theresia das Zugrecht verschärft, jedoch nur zugunsten geschlossener Hofgüter, deren Arron= dierung befördert werden sollte. Im Gebiete der Freiteilbarkeit wurde es nur noch als Mißstand empfunden; aus ihm kam auch der Angriff. Die Ortschaften um Freiburg baten, es völlig aufzuheben; denn es werde dadurch nur ein schädliches Monopol weniger reicher Mitgenossen geschaffen, der Arme aber, der außerhalb der Gemarkung keine Kauflustige aufsuchen dürfe, werde gezwungen, sein Gut zu einem mitleidenswürdig geringen Preise hinzugeben. Wenn einmal ein Aus= märker ein Gut kaufe, so baue er es nur zur Notdurft; denn baute er es ordentlich, so würde ihm sogleich ein Zugberechtigter auf den Hals kommen und ihm den Vorteil seines Fleißes wegreißen. So fiel denn auch dieser Rest eines uralten Vizinenrechts, das in eine Zeit, in der be= reits alles zur Mobilisierung drängte, schlechterdings nicht mehr paßte.[11]

Joseph kam diesen Wünschen der Inländer rasch entgegen, aber wo es sich um das Zugrecht gegen fremde Staatsangehörige handelte, trat auch bei ihm der kleine territoriale Eigennutz, der sich mit dem Stolz der Großmacht gegen die schwachen Nachbarn verband, jeder Reform hindernd in den Weg. Endlos waren die Streitigkeiten mit Baden, die der Obervogt der Markgrafschaft Hochberg, Schlosser, der Schwager Goethes, von Emmendingen aus und auch als Gesandter in Wien, wie später von Karlsruhe mit Scharfsinn und Unermüdlichkeit und mit ebensoviel Eigensinn wie der Kaiser und Kaunitz führte. Joseph verfolgte die Konsolidationspolitik des Staats im kleinsten, wie sie sein Ziel im großen war. Nicht nur die Mandate, welche den Aus= ländern neuen Grunderwerb verboten, wurden, zuletzt noch 1788, verschärft, sondern auch die vorhandenen fremden Besitzer sollten mit Hülfe des Zugrechtes hinausgedrängt werden. In Baden galt Zug= recht nur für 1 Jahr 3 Wochen, im Breisgau für ewig. Das hatte bereits zur Folge gehabt, daß österreichische Untertanen 20 000 Morgen mehr im Badischen als Badener im Breisgau besaßen. Joseph aber wollte nichts aufgeben, während er sich auch nicht beschränken lassen wolle. Er hielt die Rechthaberei bis ins kleinste für seine Pflicht, und gerade hier hatte er seine Untertanen auf seiner Seite. Bei ihnen mischte sich der Stolz des Österreichers gegen die kleinen Markgräfler mit der religiösen Abneigung. Der Zwist überdauerte Josephs Tod;

endlich im Jahre 1795 besann man sich, „daß es jetzt nicht Zeit sei, durch Streitigkeiten, deren jüngste 30 Jahre alt sei, das Volk aufzuregen".[12]

Auf dem Gebiete der Landeskulturpflege ist unter dieser unruhigen Regierung im Breisgau eher weniger geleistet worden als unter der hausmütterlichen Maria Theresias. Die Allmendaufteilung stockte unter Joseph; dagegen wurde die oft verheißene neue Forstordnung erlassen und streng durchgeführt.[13] Schon von den Zeiten der ersten Forstordnungen her, die Kaiser Maximilian I. ganz im Interesse des Bergbaus erlassen hatte, erhob in Vorderösterreich die Staatsaufsicht über den privaten Waldbesitz mehr Ansprüche als anderwärts in Oberdeutschland. Jetzt verwirklichte Joseph auch hier die alten Forderungen. Die Dominien, die sich einer lästigen Aufsicht unterworfen sahen und auch zum erstenmal mit Wildschadenersatz ernstlich bedroht wurden, schalten unablässig über die „aufgedrungenen gelehrten Förster, die nur einige theoretische und gar keine praktischen Kenntnisse besäßen" — Vorwürfe, hinter denen sich in Sachen des Waldes immer der Eigennutz und der Schlendrian verschanzt haben. Sie behaupteten auch, daß bei dieser Forstordnung die Waldverwüstung unvermeidlich sei, und verlangten die alleinige Bewirtschaftung selbst der Gemeindeforsten in ihren Herrschaften. Einiges war an diesen Klagen richtig: die Forstordnung begünstigte die Kahlschläge, um rasch aus der Plänterwirtschaft herauszukommen; und hin und wieder werden die neuen Förster mit diesen unvorsichtig vorgegangen sein.

Entgegenkommender verhielten sich die Stände und die Bevölkerung gegen Josephs letzten volkswirtschaftlichen Reformplan, an dessen Ausführung ihn der Tod hinderte. Mehr als je zuvor und jemals später steht ja in diesen Jahrzehnten des Entscheidungskampfes zwischen Merkantilismus und Physiokratie, als Galianis Discours sur le commerce des blés das bewundertste Werk der französischen Salonprosa war, die Frage der Getreideversorgung im Mittelpunkt der volkswirtschaftlichen und gelehrten Interessen.[14] Friedrichs des Großen Kornpolitik, von ihm selbst und von den Zeitgenossen als das Meisterstück seiner inneren Verwaltung angesehen, erfuhr soeben nach des Königs Tode den heftigsten Angriff durch Mirabeau; in der badischen Markgrafschaft führte Karl Friedrich trotz des Murrens seiner Beamten und der Ängstlichkeit seiner kleinen Städte, selbst in Teuerungsjahren nur wenig ihrem Druck nachgebend, die Politik des freien

Getreidehandels durch, die für ihn der oberste Satz seines physiokra-
tischen Glaubensbekenntnisses war. Auch Kaiser Joseph hatte sich
auf diesem Gebiete eine bestimmte Ansicht ausgebildet, die, wie es bei
ihm nicht anders sein konnte, sich als eine eigenartige Mischung physio-
kratischer Gedanken mit merkantilistischer Bevormundung darstellte.
Nach günstigen Erfahrungen mit Kornmagazinen in Mähren wünschte
er das gleiche in Vorderösterreich durchzuführen. Sein Grund-
gedanke war dabei, daß jeder Landwirt einen bestimmten Teil seines
Erwachses in ein Magazin abzuliefern habe. Dieser Speicher sollten
möglichst viele errichtet werden, damit auch jeder leicht und sicher
wieder empfange, was er gegeben habe. Staatliche Magazine, wie
sie den Angelpunkt der Getreidehandelspolitik Friedrichs des Großen
bildeten, waren zunächst nicht vorgesehen. Vielmehr sollten Produk-
tion und Bedarf an Ort und Stelle ineinander greifen und sich aus-
gleichen ohne Dazwischenkunft des Handels, der dagegen das ganze
überschüssige Quantum, den produit net der Physiokraten, unbe-
hindert aufnehmen sollte.

Den ausführlichen Antworten der Dominien, Städte und Kameralherrschaften verdanken wir ein genaues Bild des Getreideverkehrs im
Breisgau. Unter den Herrschaftsbeamten setzten freilich viele nur
mürrisch die Feder an, wie immer, wenn sie eine Arbeit witterten.
Ihnen sprach der Kollege aus dem Herzen, der statt einer weiteren
Antwort schrieb: „Am End kommt es doch darauf hinaus, daß die
Ortsherrschaft und derselben Beamtung dafür haften muß, daß sie
also mit neuen Geschäften und Beschwerden beladen wird". Wie tief
noch überall die Naturalwirtschaft wurzelte, sehen wir aus allen Berichten, war doch auch der Vorschlag des Kaisers noch recht auf sie
zugeschnitten. Unbedingt für Magazine sprechen sich diejenigen Landschaften aus, welche ständig Mangel an eigenem Getreide litten, die
Reborte und die Gebirgsorte. In ihnen wurde allgemein der Wein und
die Butter gegen Frucht umgetauscht*, meist unmittelbar an auswärtige Getreidebauern. Die ohnehin gedrückte Lage der Winzer
wurde dadurch oft unerträglich. Im Schwarzwald begrüßten die
Dominialherren, die Vögte, die freien Bauerneinungen gleichmäßig
freudig den Plan. Auf Ausbildung der Wochenmärkte setzte hier

---

* Noch jetzt kann man bisweilen in Reborten der Ortenau an Kramläden
Anschläge sehen, daß hier Wein gegen Brot, Mehl usw. in Tausch genommen
werde.

niemand Hoffnungen, aber auch mit lokalen Magazinen war ihnen nicht gedient. Sie wünschten einige große Landesmagazine nach Art der Notspeicher des 16. Jahrhunderts, die alsdann auch.den Markt= preis regulieren könnten. Wirklich leisteten die Kornhäuser in Frei= burg und Villingen, jene stattlichen Bauten, die von der wirtschaft= lichen Regsamkeit früherer Tage redeten, noch immer gute Dienste. Deshalb wußte man aber in diesen Städten auch die Bedeutung des offenen Kornmarktes, mit dem die öffentlichen Speicher sich wechsel= seitig unterstützten, besser als anderswo zu schätzen.

Wie herabgekommen war freilich das einst so stolze Villingen! Der Rat berichtete: Der größte Teil der Bürgerschaft und der Aus= leute nähre sich von Erdäpfeln, doch habe es wegen seiner Lage inmitten getreidereicher Gegenden noch wöchentlich großen Kornmarkt. Die Klöster seien nach altem Statut verpflichtet, von ihrem Vorrat in teuren Zeiten zu vereinbartem Preise feilzuhalten; die Stadt selber besitze einen trefflich gebauten Kornspeicher für 1200 Malter, der unter zwei Kornherren stehe, und sei auch noch nie dabei zu Schaden gekommen, da bei einer Kalkulation auf fünf Jahre sich die Preise immer ziemlich aufs gleiche stellten. Jetzt sei er freilich nur noch mit 600 Malter versehen, aber auf Wunsch würde die Stadt ihn wieder zu vollem Bestand bringen; nur hoffe man, daß auch die Regierung in Teue= rungsjahren nicht wieder zu falschen Sperrmaßregeln greife wie 1770 und 1771; denn damit habe man nur den Handel verscheucht. Auch einer Einschränkung der großen Schafweiden der Nachbarschaft zugunsten einer Erweiterung des Fruchtbaus, womöglich in der Frond, redete der Rat das Wort. Man wußte hier nicht mehr, daß einst im Mittelalter durch die Tuchindustrie des aufblühenden Villingen selbst diese Umwandlung zur Weide veranlaßt worden war.

Orte mit reichem Getreideerwachs, die nie Mangel verspürten, lehnten den Plan zum großen Teil ab; aber auch manche ritterschaft= lichen Dörfer der Ebene, in denen der Getreidemangel zur Saatzeit chronisch war, taten dies. Wie solle die Gemeinde ein Drittel der Früchte jährlich zurücklegen, wo immer nur eine Minderheit von einem Fünftel bis höchstens einem Drittel der Einwohner genug für die eigene Nahrung baue, während die übrigen, die ein fünftel bis zwei Joch bauten, sich im Winter durchhungerten und im Frühjahr das Saatgut kauften? Wo solle man auch nur das Geld zur Er= bauung der Schüttböden hernehmen? In diesen Orten, die die Mehr=

zahl bilden, verließ man sich wie von jeher auf die Zehntherren, denen man überall gleichmäßig die Verpflichtung zuschrieb, eine Zehntscheuer zu halten und daraus den Landleuten Vorschüsse, namentlich an Saat- gut zu machen. Gerade diese Zehntscheuern wollte Josephs Plan er- setzen, aber es zeigte sich, daß die Zehntverfassung einstweilen noch mehr als ein lästiges Herrenrecht war, daß sie noch eine wichtige volkswirtschaftliche Funktion ausübte.

Auf den Handel hatte hier niemand Vertrauen. Freiburgs Ge- treidemarkt war gegenüber dem von Villingen, um das herum die Großbauern der Baar saßen, verfallen. Über den Kleinhandel mit Getreide, der sich nicht über die Stufe des Hausierankaufs erhob und ebenso wie der Viehhandel und der Kredit in den Händen der Juden lag, klagte jedermann; denn unausrottbar verband sich mit ihm der Wucher. Da in Vorderösterreich nach Verträgen mit den Ständen, die im 16. Jahrhundert geschlossen waren, keine Juden geduldet wurden, saßen sie in den Dörfern der Reichsritterschaft, zu denen sie eine be- sondere, leicht begreifliche Zuneigung hatten, und ebenso im Hoch- bergischen. Von hier aus, der Justiz und der Beaufsichtigung der österreichischen Behörden unerreichbar, suchten sie den Breisgau als ebenso gefährliche wie unentbehrliche Freunde des Landmanns ab. Unzähligemal war das Zinsmaximum von 5% eingeschärft und jeder Kontrakt, der nicht schriftlich aufgesetzt und amtlich protokolliert worden, für ungültig erklärt worden. Joseph hatte noch neuerdings Kontraktverlängerungen verboten. Aber alle Verordnungen waren völlig wirkungslos. „Wozu das Protokollieren", schrieb ein sachkun- diger Amtmann, „wenn schon von vornherein richtig und gewiß ist, daß der Jud bei seiner dermaligen Verfassung bei dem landüblichen, gesetzmäßigen Interesse unmöglich bestehen kann? Daß ein Jud 100 fl. bares Geld gegen 5% ausgeliehen habe, ist, es protokolliere es, wer da will, hundertmal nicht wahr, ist falsch, wenn der schuldende Christ es auch eidlich bestätigen wollte." „Übrigens", setzt der Berichterstatter mit einem Seitenhieb auf die Regierung hinzu, „sind in Zeit von zehn Jahren durch die Lotterie vielleicht mehr Familien zugrunde ge- richtet worden als durch Judenhändel in dreißig."

Die Wucherplage sollte sich gerade in ihrer krassen natural- wirtschaftlichen Form noch von Generation auf Generation im Breis- gau und seinen Nachbargebieten vererben, bis der volkswirtschaftliche Aufschwung unserer Tage ihr allmählich den Boden entzieht. Unter

Joseph hat sie ⸱ sich gerade durch die Maßregeln des Kaisers eher verschärft als vermindert.

Bisher waren die Stiftungsgelder, die „Heiligenfonds", die Reservoirs für den landwirtschaftlichen Kredit gewesen und hatten sich bei lokaler Selbstverwaltung gut bewährt — sie nahmen im Geldverkehr eine Stellung ein wie die Zehntscheuern im Getreideverkehr. Jetzt hatte Joseph bei der Einrichtung des allgemeinen Religionsfonds nach seinen zentralistischen Grundsätzen verfügt, daß alle Stiftungs- und Pupillengelder aus den bisherigen Anlagen herauszuziehen und ausschließlich in Staatsfonds anzulegen seien. Diesmal hatten die Stände ganz gewiß recht, wenn sie erklärten: „Dieses Edikt habe allgemeine Lamentation erregt und sei eine sittliche Unmöglichkeit, denn die Untertanen würden dadurch dem Wucher geradezu in die Arme getrieben". Darum erschien ihnen auch die plötzliche Aufhebung der Wuchergesetze falsch, weil sie gerade in diesen Moment einer plötzlichen Kreditentziehung traf und weil der Breisgau mit Ländern, in denen strenge Wuchergesetze gälten, durchsetzt sei. Die einzige positive Reform aber, zu der die Stände gern die Hand gereicht hätten, die ihnen bei dieser plötzlichen Verschiebung des Kredits geradezu unentbehrlich schien, die Einrichtung einer ständischen Leihbank in Freiburg, hat ihnen Joseph gerade nicht erfüllt.[15]

Dagegen beglückte er sie mit einem Privileg, das sie gar nicht wünschten, indem er eine Rückzahlungssperre, d. h. die Unkündbarkeit aller landständischen und aller beim Religionsfonds angelegten Kapitalien verfügte. Die Stände klagten mit Recht, daß er ihnen dadurch den Kredit nur verschlechtere; die Kündbarkeit sei ihnen gleichgültig, wenn sie nur jederzeit zu 5% Geld bekämen.[16] Die Folgezeit hat dann schon unter Joseph eine Verschlechterung der unter Maria Theresia musterhaft geordneten österreichischen Finanzen gebracht, die rasch in völligen Verfall ausartete; sie hat das Mißtrauen der Bevölkerung gegen die zwangsweise Anlage aller dieser Kapitalien in Staatsanleihen nur allzu berechtigt erscheinen lassen. Nirgends aber wird das Volk empfindlicher gegen staatliche Eigenmächtigkeit sein, als wo es sich um das Vermögen von geistlichen Stiftungen und Waisen handelt.

IV.
Das allgemeine Gesetzbuch.

Es ist das tragische Verhängnis Josephs gewesen, daß gerade seine bedeutendsten Gedanken, die zugleich die Zukunft als seine folgenreichsten bewährt hat, in seinem Volk fast nur Widerspruch und Unruhe erweckten und daß er diesen durch einzelne Mißgriffe und durch die Art der Ausführung selber großenteils verschuldete. Sein großes Unternehmen, die Rechtseinheit der Monarchie herzustellen, worin sein Scharfblick die sicherste Gewähr für ihr Zusammenhalten erblickte, ist selbst in der geschlossenen Ländermasse der Kronländer auf Gleichgültigkeit gestoßen, in dieser westlichen abgesplitterten Provinz erregte es nur Unbehagen. Man hing an der Fülle lokaler Rechtsgewohnheiten; denn Weistümer und Stadtrechte waren nun seit Jahrhunderten sichere Schutzwehren gegen Willkür gewesen; und wo man über diesen nächsten Gesichtskreis hinausging, besaß man ein viel stärkeres Interesse an möglichster Ähnlichkeit des Rechtes mit den benachbarten Territorien als mit dem Erzherzogtum Österreich und der Krone Böhmen.

Schon das Kriminalgesetzbuch, die Josephina, schien trotz der Aufhebung der Todesstrafe den Breisgauern viel zu hart, aber in das tägliche Leben griffen die Änderungen des Familienrechtes viel schmerzlicher ein.

Bei mannigfachen lokalen Unterschieden im einzelnen macht sich im großen im Recht wie in der Wirtschaft die Verschiedenheit des Gebietes der Freiteilbarkeit und der geschlossenen Hofgüter geltend; nur daß diese Gebiete damals noch weit mehr als heute durcheinander gewürfelt waren. Denn auch in der Ebene und im Rebland, wo die Art der Landeskultur die freie Teilung als Regel mit sich brachte, gab es ganze Ämter wie Ebringen am Schönberg, in denen durch diese Gewohnheit, und überall größere Meierhöfe, bei denen sie durch ihre besonderen Lehensurkunden ausgeschlossen war. Im oberen Rheinviertel hatte die Freiheit der Untertanen, die durch ihre Bundesverfassung gesichert war, auch die freie Teilung und in ihrem Gefolge die Zersplitterung mit sich gebracht. Noch lebte in der Einteilung der Gemeinden nach „Rasten", wie man wohl wußte, eine Erinnerung an die großen Höfe, die einst auch hier bestanden hatten. Doch suchte hier die Abtei St. Blasien unter beständigem Widerstreben ihrer Bauern den Bestand an größeren Hofgütern durch das Erbrecht zu sichern. Der gesamte übrige Breisgauer Schwarzwald war ein fast geschlossenes Gebiet des Hofgüterrechtes. Einst war im Laufe des 15. und 16. Jahrhunderts dieses Recht, das die Zerteilung des Gutes im Erbgang wie beim Verkauf verwehrte, aus dem Eigentum der Familie zur gesamten Hand hervorgegangen; der Anerbe war wenig mehr als der Repräsentant, der „Vorträger" der Familie gewesen. Das hatte sich nun freilich geändert, aber noch immer schätzten Bauern und Behörden dieses Sonderrecht gerade darum, weil es mehr als jedes andere die wirtschaftliche Lage der Familie in allen ihren Gliedern sichere. Weit weniger kam bei ihnen in Betracht, daß dadurch das Fortbestehen reicher Bauernhöfe gewährleistet war. Ihre Äußerungen lassen darüber keinen Zweifel. Demselben Zweck diente die hier geltende strenge Gütergemeinschaft der Ehegatten; sie kam den Bedürfnissen bäuerlicher Familienwirtschaft entgegen. Daß die Unfruchtbarkeit der Waldgebiete eine solche Gemeinwirtschaft der Großfamilie rätlich erscheinen ließ, sagte man sich des öfteren, wenn man den kümmerlichen Zustand des Hauensteiner Landes zum Vergleich heranzog. Ein besonderes Interesse der Dominialherren, die einst bei drohender Verödung des Schwarzwaldes im 15. Jahrhundert die Ausbildung des Hofgüterrechtes gefördert hatten, war jetzt kaum noch vorhanden. Im ganzen standen sich die Grundherren bei der Güterzersplitterung besser. Wir vernahmen schon ihre Klage, daß ihnen die Schwarzwaldhöfe bei Lebzeiten des Besitzers so gut wie nichts einträgen; und daß der Besitzwechsel sich selten vollzog, dafür sorgte schon das Minorat, die Erbenfolge des jüngsten Sohnes, das diesem begreiflichen Wunsch der Bauern, dem Herrn möglichst wenig zu entrichten, seinen Ursprung verdankte."*

Für Joseph war wie für alle aufgeklärten Gesetzgeber des 18. Jahrhunderts, wie bereits für seine Mutter und wie für Friedrich den Großen, bei der Ordnung des Familienrechtes die populationistische Tendenz maßgebend gewesen, die den Angelpunkt alles volkswirtschaftlichen Denkens der Zeit bildet, ja bilden mußte. „Den echten Staats

---

* Man hatte schon zur Zeit des vorwaltenden Besitzes zu gesamter Hand immer den Jüngsten der Familie als Vorträger bestellt, auf dessen Leben Güterfall und Handänderung gegründet waren. So wurde der Jüngste zum Anerben.

grundsätzen ist es allerdings angemessen, daß größere Bauerngüter so
weit, jedoch nicht weiter verteilt werden, als daß eine Familie von
ihrem Anteil ihr Auskommen finde," heißt es in einer Breisgauer
Verordnung vom Jahre 1786. Demgemäß begünstigte man in der
Ebene die Teilung großer Meierhöfe bis auf Anteile von 10 bis
12 Morgen. Doch war auch in solchen Fällen eine besondere Erlaubnis
der Regierung, nachdem sie den Untertanenadvokaten wegen der Rät=
lichkeit gehört hatte, erforderlich. Derselben Ansicht entsprang das
Verbot, das Joseph noch in den letzten Wochen seines Lebens erließ,
wonach niemals zwei Bauerngüter in einer Hand vereinigt sein sollten.
Die Breisgauer Regierung und der landständische Konseß legten sich
diese Verordnung richtig dahin aus, daß von ihr nur geschlossene
Bauernhöfe, nicht einzelne Grundstücke getroffen werden sollten. Sie
hielten die Gefahr, daß durch Zusammenlegung überhaupt zu große
Güter entstünden, für geringfügig, da man jetzt leider viel eher
wünsche, große Höfe zu teilen. Auch schien ihnen ein so tief ein=
schneidendes Verbot juristisch bedenklich: das Zusammenheiraten von
Höfen, das oft vorkam, sei durch Gesetz doch nicht zu verhindern;
wenn aber einmal ein sparsamer Bauer einen zweiten Hof kaufe, so
setze er doch meist einen seiner Söhne als Pächter darauf. Kaiser
Leopold schränkte darauf auch das Verbot auf den Erbfall ein, er=
klärte es jedoch in dieser Beschränkung für eine notwendige Konsequenz
der Bestimmungen über bäuerliches Erbrecht.

Denn darauf war es Kaiser Joseph angekommen, daß auf jedem
Hof ein leistungsfähiger Bauer sitze, daß diesem die Hände frei gemacht
würden und daß ganz klare Eigentumsverhältnisse möglichst rasch und
rücksichtslos überall hergestellt würden. Deshalb paßte ihm das An=
erbenrecht ganz wohl, nur mußte es schärfer durchgebildet werden und
seinen familiären Charakter verlieren. Und ein Gleiches gilt auch
vom übrigen Familienrecht. Das Repräsentationsrecht, das der
juristischen Logik so wohl entsprach, fand noch immer, als es jetzt
Joseph allgemein einführte, am Oberrhein keinen rechten Boden.
Seit den Tagen, als man von Reichs wegen das Gottesurteil
anrief, um zu entscheiden, ob diese Form des Erbgangs die ge=
rechte sei, weil man mit dem eigenen Verstand das Rätsel nicht
zu lösen vermochte, hatte sich immer wieder die Gesetzgebung des Reiches
und der wichtigsten Territorien ebenso wie die Wissenschaft für sie er=
klärt, aber immer hatte sich auch dort der gleiche Widerstand überall

erhoben, wo die alte Hausgemeinschaft noch in Kraft war, die ihre Mitglieder nach Köpfen und nicht nach Stämmen zählt. So erklärten auch jetzt die Landstände unmittelbar nach dem Tode Josephs: „Das allgemeine Gesetzbuch von 1786 enthalte nur römisches Recht und breche mit allen hergebrachten deutschen Rechtsgewohnheiten"; sie erklärten vor allem das Repräsentationsprinzip für ein Unglück: „Unsäglich viel jammervolle Beschwerden, Unordnungen, Streitigkeiten und Mißhelligkeiten zwischen Eheleuten, Eltern und Kindern verursache es; alles sehne sich nach der Rückkehr zum alten Zustand."

Die Bauern kränkte aber weit mehr noch die Abänderung der Gütergemeinschaft, die Ersetzung des Minorats im Anerbenrecht durch das Majorat und die neue Vormundschaftsordnung. Am besten haben die Schwarzwälder Bauern, vertreten durch die gesamten Stabsvögte des Dreisamtales und des Schwarzwaldes, ihren Standpunkt in der letzten ihrer Denkschriften, mit denen sie für die Herstellung der alten Talverfassung eintraten, dargelegt. Sie machten, auch ohne etwas von Justus Möser gehört zu haben, den naheliegenden historischen Trugschluß, ihre Rechtsverfassung als eine „uralte, allgemeine deutsche Observanz" zu erklären. Besonders rühmten sie an ihr die strenge Gütergemeinschaft: „Bei uns war die Gütergemeinschaft so allgemein, daß, ob ein Teil Gut in die Ehe brachte oder nicht, keiner mehr sagen konnte: Dies ist insbesondere mein oder dein. Auch über den geringsten Teil dieses gemeinsamen Vermögens konnte kein Teil für sich nicht mehr gültig etwas verordnen. Nur wenn die Frau zur zweiten Ehe schritt, mußte sie sich mit den Kindern erster Ehe über ihren Anteil vorläufig abfinden, wobei in Güte eine Schätzung des Gutes vorgenommen wurde. Dabei kam ihr und dem Stiefvater aber die Nutzung auch von den Kindesteilen bis zu deren Standesveränderung (Verheiratung) zu, doch konnten Herrschaft und Vorgesetzte nach Erfordernis der Umstände zum Besten der Kinder eine Ausnahme machen." — Es war eben bisher nur eine Obervormundschaft der Behörde nötig gewesen, um den Mißbrauch der Gewalt des Stiefvaters zu hindern, der im übrigen von jeher als der natürliche Vormund galt, gerade damit die Einheit des Vermögens und der Lebenshaltung der Familie möglichst lange erhalten bleibe. — „Der Erbenvorteil am Hofe, der stets dem jüngsten Sohn oder der jüngsten Tochter zustand, wurde dadurch aber nicht berührt; nur die Errungenschaft, welche bis zur Gutsübergabe seitens der Mutter oder des Stiefvaters aus der gemeinsamen Wirt-

schaft erwuchs, wurde unter den sämtlichen Erben gemeinschaftlich ge=
teilt. Waren in der ersten Ehe keine Kinder erzeugt, so fiel das Gut
dem Überlebenden zu nach Erstattung eines Rückfalls an die An=
verwandten des verstorbenen Eheteils, der jedesmal in den Ehe=
beredungen schon bestimmt war."

Solche Einrichtungen — meinten sie — seien der entgegengesetzten
des Majorats weit vorzuziehen; denn dem Ältesten müsse die Mutter
meist sofort das Gut übergeben und mit den übrigen, meist noch un=
erzogenen Kindern abziehen und anderswo ein Obdach suchen, weil
sich's fast immer zutrage, daß der älteste Sohn mit der Mutter nicht
verträglich sei. Was der Mutter alsdann ausgezahlt werde, sei nach
Abzug des Erbenvorteils und der hohen Bezüge des Grundherrn nie
genügend zur Erziehung. Früher bei herrschendem Minorat konnten
hingegen die Eltern bei ihren Lebzeiten meist ganz gut für die älteren
Geschwister sorgen. Die Wirtschaft wurde immer erst vom Vater
oder Stiefvater übergeben, wenn dies altershalber nötig war. In
der langen Zwischenzeit konnten die Schulden der Übernahme getilgt
werden, und der neue Hofbesitzer bekam einen schuldenfreien Hof. In=
folge der Gütergemeinschaft sei auch das Drittelsrecht der Herren
immer erst fällig geworden, wenn beide Eltern gestorben waren, und
das habe meist einen Aufschub von 20 Jahren bedeutet. Jetzt bei
Majorat und Gütertrennung wechsle der Hof häufiger, die Grund=
herren erhielten entsprechend mehr und bei so starken Abzügen ver=
ringere sich der Wert des Hofes.[1]

Diese Ausführungen weisen auf den Zustand einer Gebirgsbevöl=
kerung hin, in der die Anerben meist Spätlinge waren, und selber spät
sehr viel jüngere Frauen heirateten, die sich regelmäßig nach ihrem
Tode wieder verheirateten. Die Sache hatte ihre sozialen Vorteile:
Tüchtige Knechte konnten hoffen als Stiefväter wenigstens 20 Jahre
selbständig wirtschaften zu können. Das war die große Chance, die
ihnen das Leben bot. Auch der Volkshumor hat sie sich nicht ent=
gehen lassen.

Diese Schrift der Vögte ist nur der letzte Niederschlag der Oppo=
sition gegen das allgemeine Gesetzbuch. Als im Jahre 1787 dieses selber
publiziert worden war, hatte es sofort einen Schwarm von Klagen,
Beschwerden, Anfragen, Auslegungen aufgestöbert. Allgemein war
zunächst der Notschrei über die Zerrüttung der Familien: Alle Söhne,
die sich bisher als Anerben angesehen hätten, die auf dem Hofe ge=

blieben seien, alle Arbeit getan, mit der Ehe gewartet hätten, seien plötzlich dieses Anspruchs entsetzt; anderen, die längst mit vielen Kosten versorgt seien, Müllern, Schmieden und Uhrmachern, falle er unerwartet in den Schoß. Man braucht sich nicht einmal hartköpfige Schwarzwälder vorzustellen, um zu begreifen, daß dabei der Familienfriede nicht zu wahren war. Alle Frauen und Mütter, denen ja in diesen Ständen mit dem vermeintlich der weiblichen Selbständigkeit dienenden Grundsatz der Gütertrennung schlecht gedient ist, standen leidenschaftlich gegen das neue Gesetzbuch auf. Wenigstens verfügte die Breisgauer Regierung, um den Sturm zu beschwichtigen, eigenmächtig, daß in dem gewöhnlichen Fall, wo der bisherige Erbe nach dem Tode des Vaters noch mit den Geschwistern in ungeteilter Hausgemeinschaft sitze, er seines Rechtes nicht entsetzt werden dürfe, und ebenso daß die Mutter nach erfolgter Teilung von der Sohnesfrau nicht verstoßen werden dürfe. — Der häusliche Hader zwischen diesen beiden gehörte nun einmal traditionell zum Familienglück des Schwarzwälders. Für die andern Beschwerden aber bedurfte man die Entscheidung der Zentralinstanz und des Kaisers selbst.

Diese erfolgte am 5. Juni 1788. Scheinbar leicht war die falsche Meinung der Bauern zu widerlegen, daß das neue Familienrecht jus strictum sei. Der Kaiser betonte, daß er ja gerade durch die Testierfreiheit das Recht der Eigentümer erweitert habe, wie diesen auch bei Lebzeiten die freie Verfügung und das Recht des Verkaufs bleibe. Nur fiel leider hier dieses Recht auf harten Boden. Die Stabvögte kannten ihre Landsleute besser, als sie erklärten: „Die Testierfreiheit nütze ihnen gar nichts; denn wenn die Eltern durch letztwillige Verfügung ein anderes Kind als das, welches nach der gesetzlichen Bestimmung hierzu berechtigt sei, zum Hofbesitzer erklärten, so erzeuge das nicht nur unter den Kindern selbst, sondern öfters auch unter den Eheleuten die größten Zwiste, welche nicht nur auf die Wirtschaft, sondern auch auf die Sittlichkeit den nachteiligsten Einfluß übten. Sobann aber ließen die Eltern vor Furcht bald zu sterben gewöhnlich solche letztwillige Anordnungen so lange anstehen, daß es, nachdem sie im Krankenbett schon geschwächt liegen, zu spät sei." In der wichtigsten Frage aber gab Joseph den kahlen Entscheid: Die Hauptabsicht des Gesetzes sei, daß jedes Gut seinen Mann haben müsse. Besitze der älteste Sohn schon ein Gut, so habe er die Wahl, ob er es behalten oder das väterliche übernehmen und das andere in seinem Nutzen verkaufen wolle. Ihn zu nötigen, dies dem Bruder abzutreten, wie die Breisgauer Regierung vorgeschlagen hatte, hieße das Eigentumsrecht zu sehr kränken. Auch die Anträge der Regierung, wenigstens die Mutter, die mit unerzogenen Kindern zurückbliebe, bei der Nutznießung zu berücksichtigen, wurden unbedingt abgewiesen. Erst in dieser scharfen juristischen Durchbildung kehrte also das Anerben= recht seine harten Seiten hervor.

Wenigstens Vormundschaft und Hofesverwaltung durch den Stief= vater oder einen älteren Schwager hofften die Breisgauer zu retten; hier aber ging der mißtrauische Fürst sogar von seinem Grundsatz der Ver= fügungsfreiheit ab und bestimmte, daß diese Verwandten von aller Vor= mundschaft, Kuratel und Wirtschaftsverwaltung streng auszuschließen seien. Auch wollte er nicht, daß ein Bauer zwei Höfe, einen als Eigentümer, einen als Vormund, verwalte, weil er immer die eigen= nützige Ausbeutung der Mündel befürchtete. Der Waldvogt, Freiherr von Spaun, hatte ganz recht, wenn er hierzu trocken bemerkte: „Also erhalten allein die Tagelöhner das Privileg, Vormundschaften auszu= üben.“ Übrigens war es Sache der Obrigkeit, die Vormünder zu be= stellen, und so ist wohl anzunehmen, daß in diesem Punkte trotz des Gesetzes das meiste beim alten blieb.[2]

Durch jene Entscheidung des Kaisers wurde der Anteil des An= erben sogar noch weiter ausgedehnt, als sich unmittelbar aus dem allgemeinen Gesetzbuch ergab. Es wurde ihm auch noch ausdrücklich eine Erbportion über den Erbenvorteil hinaus zugesprochen. Unter diesen Umständen kam nun alles darauf an, wie der Erbenvorteil berechnet wurde. Es liegen noch zahlreiche Güterschätzungen jener Zeit vor, die durchweg eine sichere Technik der Schätzungsmänner bezeugen. Ihre Kunst aber bestand gutenteils darin, die Drittelsabgabe, die dem Grundherrn gebührte, möglichst herabzudrücken. Dies geschah dadurch, daß die Güter meist so niedrig, die Lasten, die auf ihnen ruhten und bei der Verdrittelung in Abzug kamen, so hoch wie möglich an= geschlagen wurden. Der Anerbe, der das Gut übernahm, wurde bei einem solchen künstlich gedrückten Anschlag natürlich weit mehr be= günstigt, als es nach der Höhe des Erbenvorteils schien. Ferner wurde in den Gutswert, auf den sich der Erbenvorteil bezog, der fundus instructus, die Hofwehr, eingerechnet und der übrigen Erbmasse ent= zogen. Aus allem ergab sich, daß der Erbenvorteil nicht, wie es hieß, ein Viertel oder Drittel, sondern stets mindestens die Hälfte

des Gutswerts betrug, wozu der Anerbe noch seinen weiteren Erben=
teil erhielt. Das wäre solange erträglich gewesen, als bei geltendem
Minorate der Anerbe noch auf dem Gut hart arbeiten mußte, während
die Erträge auch den Geschwistern zugute. kamen. Beim Majorat
aber mußte eine solche Schätzungsweise erst recht zum Mittel werden,
einen reichen Bauern zu schaffen, der die Geschwister nach Belieben in
eine niedere Bevölkerungsklasse herabdrückte. Joseph aber glaubte mit
dem einen Zauberwort „Testierfreiheit" das Problem zu lösen, und
gerade dieses versagte.

Seine Anschauungen und die der Hofkanzlei waren allein an den
böhmisch=mährischen gutsherrlichen Verhältnissen gebildet, auf deren
Regulierung er in diesen Jahren alle erfolgreiche Arbeit verwendete.
Darum verwiesen auch die Antworten aus Wien auf alle Fragen
immer nur auf das Rektifikatorium und das Kataster, also auf Dinge,
die es in Vorderösterreich gar nicht gab. Erfahrene Beamte wie der
Waldvogt von Spaun machten ihn mit Recht darauf aufmerksam, daß
in einem Lande, wo es kein Grundbuch gebe und wo die Repartition
der Steuern den Gemeinden überlassen war, von dem Schätzungspreis,
der in den Steuerrollen stehe, gar nichts zu halten sei. Wenn, wie
es täglich vorkomme, schon die Abgaben und Schulden diesem gleich=
kämen, der wahre Wert ihn aber weit überträfe, sollten dann die
übrigen Erben leer ausgehen?

Joseph und seine Juristen ließen sich durch diese Einwendungen
nicht irre machen, aber die Schwierigkeiten, welche die Aufhebung des
Minorats machte, waren auch in den andern Kronländern so groß,
daß sie sich nicht behaupten konnte. Jedoch hat auch Kaiser Leopold II.
gerade im Breisgau diesen Beschwerden nicht stattgegeben und noch
im Jahre 1798 erhoben die Vögte des Schwarzwaldes vergeblich jene
Beschwerden, die wir oben kennen lernten.

V.

Die kirchenpolitischen Reformen Maria Theresias.

Das allgemeine Gesetzbuch ist ein lang= und wohlvorbereitetes
Werk gewesen; es hat Österreich auf die Dauer die größten Vorteile
gebracht, und bennoch hat die ungeschickte oder einseitige Fassung

einiger Bestimmungen soviel Mißbehagen und Unruhe hervorgerufen.
In ganz anderem Maße noch war dieses Schicksal denjenigen Reformen
Josephs beschieden, die dem einen Teil der Zeitgenossen die nötigsten
und löblichsten, dem andern die verderblichsten erschienen, und an die
die Nachwelt seinen Namen besonders geknüpft hat: die kirchlichen.
Auch hier hat er nur mit stürmischer Energie auszuführen gesucht,
was weniger auffällig seine Mutter begonnen hatte, was als System
der Theorie — und im Kirchenrecht bedeutet Theorie mehr als anderwärts auch einen praktischen Anspruch — schon vor ihm in Österreich offizielle Anerkennung gefunden hatte. Das ist gerade am Beispiel
des Breisgaus erst vor kurzem in gründlicher und umfassender Weise
dargelegt worden; der „Josephinismus" hat sozusagen seinen Anspruch
auf diesen Namen verloren. Dadurch ist aber das Problem nicht
gelöst, sondern nur noch verwickelter geworden: Woher rührte es, daß
die fromme Kaiserin Maria Theresia sich tiefe Eingriffe in die
geltende Kirchenverfassung mit allgemeiner Zustimmung oder Zulassung
erlauben durfte, während ihr Sohn in der Fortführung dieses Werkes
eine Opposition heraufbeschwor, deren er nicht Herr werden konnte,
und der seine Nachfolger erlagen? Um das einigermaßen zu ergrün-
den, müssen wir die Maßregeln beider Fürsten und die Wirkungen,
die sie auf den Zustand des Landes ausübten, vergleichend darstellen.

Der kirchliche wie der politische Zustand des Breisgaus erhielt
seine eigentümliche Färbung dadurch, daß das Bistum schwach und
arm, der Prälatenstand dagegen reich und mächtig war. Das Ansehen
der Habsburger in diesen Landschaften war einst vor allem dadurch
befestigt worden, daß die großen Abteien sich unter ihre Vogtei begeben
hatten. Diese hatten dadurch auch ihre Stellung gegen ihren geistlichen
Oberherrn, den Bischof von Konstanz, gesichert. Von den Tagen an,
wo irische Einsiedler die ersten Klöster in dieser Diözese gegründet
hatten, war die Eifersucht zwischen Bischof und Äbten nie zum
Schweigen gekommen. Nirgends hat das Bistum mit solcher Hartnäckigkeit die Abhängigkeit der Abteien zu behaupten, die wichtigsten sich
zu inkorporieren gesucht, aber nirgends ist schließlich der Erfolg geringer
gewesen. Nur die Reichenau fiel ihm anheim und erst, als sie schon
verarmt war. Die Konstanzer Diözese war die größte Deutschlands,
der Bischof einer der beiden ausschreibenden Stände des schwäbischen
Kreises, aber dem ungeachtet einer der ärmsten geistlichen Fürsten.
Seine gesamten Einkünfte wurden im Jahre 1788 auf 40—45 000 fl.

angegeben, benen 500 000 fl. Schulden gegenüberstanden. Eine ganze
Anzahl von Breisgauer Prälaten kamen ihm an Einkommen gleich,
der mächtigste, der Fürstabt von St. Blasien, war mindestens vier= bis
fünfmal so reich. Noch im 16. Jahrhundert hatten die Bischöfe versucht,
die Äbte von der Landeshoheit abwendig zu machen[1]: in den Jahren 1549
und 1557 hatten sie ihnen verboten, die ausgeschriebene Reichssteuer
an den Landesherrn statt an sie abzuführen, und ihnen versprochen,
auf eigne Kosten die gemeinsame Sache vor den Reichsgerichten zu
vertreten, ja sogar sie für die Strafen, welche sie von der Landes=
herrschaft erhalten würben, schadlos zu halten. Aber auch nicht bei
einem hatten sie Gehör gefunden; geschlossen hielt damals die Geist=
lichkeit zur Regierung, und sie fand ihren Vorteil vielmehr darin, daß
sie sich an der Ausgestaltung der ständischen Verfassung beteiligte, die
ihnen Machtvollkommenheit in ihren Dominien, bestimmenden Einfluß
in den Angelegenheiten des Landes und nicht zuletzt auch eine weit=
gehende Unabhängigkeit gegenüber ihrem Metropoliten verlieh, der sich
mit einigen Annaten von ihnen begnügen mußte. Die mächtigsten unter
ihnen, St. Blasien, Säckingen, auch die Johanniter hatten den einen
Fuß in der Reichsfreiheit behalten, was ihre Stellung im Lande noch
selbständiger machte. Auch Schuttern, nächst jenen die reichste Abtei,
konnte bei allen unbequemen Anordnungen sich auf seinen Oberlehens=
herrn, den Bischof von Bamberg, berufen. Denn als Maria Theresia
1759 die Rechte Bambergs in Kärnten, die noch aus der Ausstattung
des Bistums durch Heinrich den Heiligen herrührten, ablöste, hatte
sie das Lehensrecht über die Ortenauer Abtei nicht berührt.

Die Bischöfe von Konstanz waren, da sie aus ihrem kleinen
Territorium ihren Stand nicht aufrechtzuerhalten vermochten, auf
Erwerb fremder Pfründen oder auf Pensionen angewiesen, und diese
konnten bei ihrer Lage ihnen nur von Österreich kommen. Das wußte
Maria Theresia, und der Briefwechsel, den der Bischof Kardinal Rodt
mit ihr führte, zeigt deutlicher als alles andere, wie diese pekuniäre
Abhängigkeit ihn zum gefügigen und gewandten Diener der österreichi=
schen Politik machte, zu einem so gefügigen, daß sich selbst Joseph
darüber verwunderte, der ihn nach einem Besuch seiner Mutter schilderte:
als Österreich treu ergeben, aber als einen Mann, der alles für
möglich und alles für erlaubt ansehe. Wenn er sich schmeichelte,
bald durch die Gunst der Kaiserin auch die Leitung der weltlichen
Angelegenheiten der Vorlande, bald das Bistum Augsburg zu dem

seinigen hinzu zu erhalten, so dachte die Kaiserin doch nicht daran, ihm Vorteile zuzuwenden, die seine Abhängigkeit hätten lockern können. Wir werden noch sehen, wie schwer sie es ihn fühlen ließ, sobald er einmal seinen Vorteil und seine geistlichen Rechte gegen das öster= reichische Interesse zu verfolgen suchte. So unterwarf er sich denn ohne Widerspruch der staatlichen Aufsicht bei der Ausübung seines geistlichen Amtes; eine bloße Warnung genügte im Jahre 1764, um ihn zu veranlassen, der Freiburger Regierung vorher Mitteilung zu machen, wenn er eine Visitation vornehmen lassen wollte. So nahm er auch die Verordnung, daß alle päpstlichen Erlasse vor ihrer Publi= kation das Placet des Landesherrn erhalten müßten, im Jahre 1767 wenigstens einstweilen ohne Widerspruch hin.[2]

An der geistlichen Jurisdiktion selber hat jedoch Maria Theresia nur sehr wenig geändert. Daß sie im Jahre 1756 dem Bischof auch die Rechtsprechung über Zehnten, sobald die Parteien Laien waren, entzog, war in einem Lande, wo soviel Zehnten in Händen der Weltlichen waren, unbedingt nötig; wenn sie bei dieser Gelegenheit ihm aber be= stätigte, daß die Entscheidung über die Vorfrage, ob es sich um Laien= oder um Kirchenzehnten handle, sowie die über Eigentumsstreitigkeiten, sobald ein Geistlicher beteiligt war, beim geistlichen Gericht bliebe, so war das sogar eine Sicherung des geistlichen Gerichts in der Haupt= sache. So wurden auch die alten Verträge aus dem Beginn des 17. Jahrhunderts, durch welche bei Verlassenschaften und bei Konkursen von Priestern der geistlichen Obrigkeit die Vermögensverwaltung zu= gesprochen wurde, zwar nicht mehr genau beobachtet, aber an der Rechtsfrage hat Maria Theresia doch noch nichts geändert.[3] Und erst als das allgemeine Gesetzbuch mit allen privatrechtlichen und prozessualischen Exemtionen des Klerus aufräumte, fühlte sich dieser, wie wir noch sehen werden, in seinem Ansehen degradiert und er= kannte, daß es mit seiner Sonderstellung im Staate vorbei sei.

So war überall die Ausübung jener Hoheitsrechte, welche der Staat bereits in Anspruch nahm, eine sehr läßliche. Edikte gegen Miß= bräuche bei Erhebung der Stolgebühren besagten wenig, wo keine allgemeine Ordnung derselben vorhanden war. Dasjenige Edikt aber, welches am tiefsten in die Verfassung der Pfarreien eingriff, betraf schon nicht mehr die Weltgeistlichkeit, sondern die Klöster. Die Ausstattung der großen Benediktinerabteien mit Pfarren ringsum im Lande hatte schon früh im Mittelalter eingesetzt, erst durch die massenhaften Inkorporationen derselben seit dem 14. Jahrhundert war jedoch daraus ein wahrer Notstand der Seelsorge erwachsen. Sie war einer der wichtigsten Gründe für die allgemeine Unzufriedenheit mit den geistlichen Zuständen und für die schnelle Ausbreitung der Reformation gewesen. Das hatte sich mit der Gegenreformation durchaus geändert. Überall wurden seitdem die inkorporierten Pfarren mit Konventualen aus den Klöstern, die die Priesterweihe besaßen, besetzt. Sie erhielten die Congrua, das kanonische Maß der Einkünfte eines Priesters, der Überschuß gebührte dem Kloster. Doch gab es auch recht reichlich ausgestattete Posten; dem Propst von Krozingen konnte sich wohl kaum ein Weltgeistlicher der Diözese vergleichen. Seitdem gehörten zu jedem Kloster zweierlei Gattungen von Mönchen, und unter ihnen war die Anzahl der expositi die größere. Im ganzen war diese Umwandlung vorteilhaft gewesen. Der Klostergeistlichkeit war wieder eine Pflicht erwachsen, die sie unter das Volk führte. Die unzweifelhafte Hebung des sittlichen wie des wissenschaftlichen Standes der oberrheinischen Klöster ist ebenso wie die völlige Umwandlung in dem Urteil der Bevölkerung über sie diesem Umstand zuzuschreiben. Allerdings war das Verhältnis sowohl unter dem Gesichtspunkt der bischöflichen Verwaltung wie unter dem der Klosterregel abnorm. Denn dem Bischof gegenüber fühlten sich diese Pfarrer doch immer zunächst als die Mönche, die ihrem Kloster und ihrem Orden vor allem angehörten, und die auf klösterliches Zusammenleben zugeschnittenen Regeln waren in der Zerstreuung nicht zu bewahren.

Die Folgezeit hat diese expositi zu Weltgeistlichen gemacht, Maria Theresia suchte sie wieder mehr zu Mönchen zu machen. Sie verordnete im Jahre 1772, daß jedesmal wenigstens 3 Mönchsgeistliche auf einer Pfarre zusammenwohnen sollten, von denen der eine der Obere sei, andernfalls sollten die Pfarren mit Weltgeistlichen besetzt werden. Die größeren Klöster wußten jedoch von der unbequemen Anordnung in den meisten Fällen Dispens zu erlangen; sie wünschten nicht ihren Konvent zu sehr zu zersplittern.[4]

Eine besondere Klosterfeindlichkeit, die bei den aufgeklärten Kanonisten sich bereits entschieden geltend machte, lag bei der Kaiserin und den Männern ihres Vertrauens gewiß nicht vor. Kaunitz, bei dem sie vielleicht vorhanden war, hat sich unter ihrer Regierung von kirchlichen Angelegenheiten fern gehalten. Die Breisgauer Prälaten,

zumal St. Blasien, deſſen Gelehrte dem Kaiſerhauſe in prachtvoll
ausgeſtatteten Werken die Quellen ſeiner Geſchichte erſchloſſen, waren
in Wien hoch angeſehen, und der Fürſtabt Gerbert gehörte zum Stolz
Oſterreichs. Auch beruhte ja auf den Prälaten der wichtigſte Teil
der Landesverfaſſung. Alle Maßregeln die Kaiſerin zielten nur dahin,
gemäß dem Territorialſyſtem die Klöſter in ſtrenge Abhängigkeit von
der Staatsregierung zu bringen und von Staats wegen diejenigen An=
ordnungen · zu treffen, die ſie in der Bahn des richtigen Kloſterlebens
hielten. Darum wurden von ihr die auswärtigen Verbindungen der
Klöſter auf die Mönchsdisziplin und den Austauſch der Gebete be=
ſchränkt, während jegliche fremde Rechtſprechung in Zivilſachen und jede
Vermögensverwaltung von auswärtigen Stellen her verboten wurde. ·
Das war ein unumgänglicher Grundſatz des zentraliſierten Staates,
und was den Zünften recht war, mußte den Klöſtern billig ſein.
Darum ſollten fortan auch nur noch Landeskinder zu Abten gewählt
werden, obwohl doch Gerbert ſelber aus der Nachbarſchaft ſtammte.[5]
	Wenn die Finanzverwaltung der Klöſter nicht etwa unter ſtaat=
liche Obhut genommen, ſondern nur die Rechte der Konventualen
an ihr teilzunehmen eingeſchärft wurden, wenn man alle Handlungen,
die dem Beruf und der von der Welt abgeſonderten Lebensweiſe der
Kloſtergeiſtlichen nicht gemäß ſeien, möglichſt beſchränkte, Geldgeſchäfte
verbot und den Ausſchank des Kloſterweines außerhalb der Mauern
und in Laienhände zu legen befahl, wenn man gebot, Seelſorge und
Wirtſchaftsführung nicht ein und derſelben Perſon zu übertragen,
weil man bei jener dieſelben Bauern oft mit Schärfe und Strafen
zu ihrer Schuldigkeit anhalten müſſe, die man in dieſer mit den
Heilsmitteln der Sakramente verſehe, — ſo ſind das alles Staatsverord=
nungen zum Beſten der Klöſter, Verordnungen, wie ſie überall, wo
ſich der Staat der Kloſterzucht annahm, üblich waren, wie es etwa
in Spanien ſeit den Zeiten Iſabellas und des Kardinals Ximenes
gehalten wurde.[6] Und ſo war auch ſicherlich die ſalbungsvolle Motivie=
rung ehrlich gemeint, mit der die Kaiſerin im Jahre 1770 verbot, vor
dem vollendeten 24. Lebensjahr Profeß bei einem Orben zu tun. Die
Sorge, daß äußerliche Gründe oder Übereilung und mangelnde Einſicht
in einem noch nicht gereiften Alter zu einem ſpäter bereuten Schritt
verführen könnten, war bei ihr durchaus aufrichtig, und nichts ſpricht
für das Urteil: daß die Regierung bei dieſem Geſetze weniger das
Wohl der Klöſter als vielmehr die allmähliche Herbeiführung ihres

Untergangs im Auge hatte.[7] Am wenigsten aber könnten das für sie
die nachfolgenden Klostergesetze Josephs beweisen, da sie eben aus einer
ganz anderen Sinnesart entsprossen sind. Nicht ohne Interesse ist es,
daß man damals unmittelbar vor der Aufhebung der Gesellschaft
Jesu nochmals dieselbe Unkenntnis über das Wesen der Gelübde, der
Novizenannahme, der verschiedenen Klassen des Ordens zeigte, wie sie
von der Stiftung an unablässig zu Zweifeln geführt hatten. Es
ist das doch ein deutliches Zeichen, daß sich die Staaten nie in
das ausgeklügelte System, das ganz allein für die Zwecke dieses
Ordens berechnet war, finden konnten.[8] Man ließ den Jesuiten auch
diesmal noch ihre Eigenart durchgehen.

Als Maria Theresia die Beschränkung der Novizenannahme
verfügte, ist sie auf keinen Widerspruch getroffen, erst als nach Kaiser
Josephs Tod die Reaktion gegen seine Gesetzgebung sich auch noch
gegen etliche Anordnungen seiner Mutter wandte, haben die Landstände
um ihre Aufhebung petitioniert. Selbst damals aber haben sie nur
den äußerlichen Grund angeführt, daß Eltern, die ihre Kinder früh=
zeitig versorgt sehen möchten, jetzt diese den auswärtigen, Klöstern über=
gäben. Sie haben von Kaiser Leopold diesen Wunsch leicht erlangt,
und die Prälaten sowie die Frauenklöster erwirkten sich noch eine weitere
günstige Auslegung, als die Breisgauer Regierung, die hier doch ein=
mal die Theresianischen Traditionen festhielt, die Nachsuchung be=
sonderen Dispenses für früheren Profeß verlangte.

Wenn endlich Maria Theresia den Frauenklöstern die Aufnahme
neuer Novizen ohne Genehmigung der Landesregierung untersagte, so
hat wohl auch die Furcht vor unberechtigtem Druck der Familie mit=
gesprochen. Als Grund wird die Sorge vor der Übersetzung dieser
Klöster, die mit Ausnahme Säckingens arm waren, im Edikt ange=
führt. Weit mehr als die Männerklöster der Benediktiner hatten die
der Nonnen im Breisgau das Gepräge müßiger Versorgungsanstalten
beibehalten. Überall aber, wo eine hergebrachte Religiosität dem wirt=
schaftlichen Aufschwung im Wege stand, mußte sie jetzt weichen. Das
verstand sich für die ebenso fromme wie rastlos tätige Kaiserin von
selbst. Sie machte Ernst mit der Einschränkung der Feiertage, zu
der die Entscheidungen Benedikts XIV., des Papstes, der zu Zuge=
ständnissen an neu erwachte Bedürfnisse zuerst bereit war, ihr die
Handhabe boten. Doch hier erweckte ein so unanfechtbares Vorgehen
am meisten Widerstand bei der Bevölkerung geradeso wie heutzutage

der Versuch, die Anzahl der Kirchweihen zu beschränken, und die geistlichen Behörden machten, obwohl sie sich zu fügen schienen, durch tat-
sächliche Fortsetzung der Feier die Verordnung unwirksam.[9]

Ökonomischen Rücksichten mindestens ebensosehr wie religiösen entsprach es auch, wenn eine strengere Sonntagsheiligung durchgeführt
und ärgerliche Ausschweifungen abgestellt wurden. Im Schwarzwald
freilich, wo eine in Höfen zerstreute Bevölkerung am Sonntag allein
sich zusammenfindet, war weder der Wirtshausbesuch noch die Be-
sorgung der Handelsgeschäfte nach der Predigt abzustellen möglich.
Die wirtschaftlichen Beweggründe zeigen sich wohl am deutlichsten
darin, daß wiederholt nur solche Wallfahrten verboten wurden, bei
denen die Teilnehmer über Nacht ausblieben. Sie gaben zu argen
Mißständen Anlaß. Die berühmteste, die aus dem Dreisamtal nach
St. Trudpert ging, hat der Talvogt von Kirchzarten, der, wie er
schreibt, „den Freß- und Saufeifer das einzige Mal, da er dieser
Andacht beigewohnt, selbst mit angesehen, ja durch das Beispiel seiner
Kompagnie selbst ein Freß- und Saufeiferer geworben war", drastisch
geschildert. Er hatte seine Absicht, auf die Abstellung dieser Wallfahrten anzutragen, bisher aufgegeben auf die ihm nahegelegte Er-
wägung, daß, wenn über kurz oder lang den Feldfrüchten ein Ge-
witterschaden zustieße, das ganze Tal dieses Unglück der Unterlassung
der Kreuzgänge zuschreiben würde, worauf er als Urheber einer so
schädlichen Neuerung seines Lebens nicht mehr sicher sein würde.
Dieser aufrichtige Mann begrüßte es wenigstens freudig, als die
Regierung ohne sein Zutun die Initiative ergriff, „dem Teufel zum
Trotz diese seine Wallfahrten abzustellen". Vorsichtiger war der
Stadtrat von Säckingen, der die Regierung bat, die Wallfahrt nach
Todtmoos auch noch fernerhin zu gestatten, „da er sonst bei der noch
größtenteils bigottisch denkenden Bürgerschaft das ganze Zutrauen ver-
lieren würde".[10]

Maria Theresia konnte sich damals noch darauf verlassen, daß
sie in solchen Fragen alle Verständigen auf ihrer Seite habe. Man
wußte ja außerdem, wie sehr sie selber Andachtsübungen ergeben war.
So führte sie auch im Breisgau den Kultus der ewigen Anbetung
des Sakraments nach dem Gebrauch der Niederlande ein. Im Einverständnis mit den Bischöfen wurde sie durch das ganze Land geordnet
und genau die Beteiligung der Geistlichkeit und der Schulkinder geregelt;
mit Eifer ergriff das Volk diese neue Form des Kultus, so daß später,

nachdem Joseph sie abgestellt hatte, Leopold sie wieder einrichten
mußte. Die Regierung hatte ihm dazu geraten, weil sie sich nicht dem
Vorwurf der Religionsfeindlichkeit aussetzen wollte. Weder die Kaiserin
noch die Geistlichen ahnten wohl, daß dieser Kultus von den Nonnen
von Port Royal ausgegangen und lange ein Kennzeichen des Jansenis-
mus gewesen war.

In allen diesen Stücken hat Maria Theresia von der Macht
des Staates über die Kirche, die sie dem Territorialprinzip gemäß
in Anspruch nahm, einen so gelinden Gebrauch gemacht, daß es
darüber zu gar keiner ernstlichen Opposition kam. Wie sich aber
überhaupt die Durchführung der finanziellen Reform als der bedeutendste Erfolg der Kaiserin in den Vorlanden zeigte, so war auch
die straffe Durchführung der Steuerpflicht des Klerus in allen seinen
Gliedern und mit allen Einkünften die einzige Maßregel, bei der
schärfere Kämpfe erforderlich waren, bei der sich aber auch die Kraft
des Territorialprinzips am entschiedensten zeigte. Eine Besteuerung
des Klerus war im Breisgau nichts Neues, die Prälaten waren sogar
immer die Stütze der Finanzen im Breisgau gewesen. Sie hatten,
was sonst hier meistens fehlte, vorrätiges Geld; und klug, wie sie
waren, wußten sie genau, daß ihre Stellung um so gesicherter sei,
je unentbehrlicher sie dem Staat waren. Die Steuern, die sie auf
den Landtagen bewilligten, bezogen sich freilich nur auf ihre Untertanen; aber von jeher waren sie zu Darlehen bereit, deren Rück-
zahlung oft recht zweifelhaft war. Fast lästiger noch war es, wenn
sie auf das Andringen der Landesherrschaft Bürgschaft für deren
Schulden übernahmen. Das führte, sobald die Zinszahlung stockte,
in der Schweiz, dem Kapitalistenland, wo die Kreditgeber meistens
wohnten, und wo die Klöster St. Blasien, Säckingen, Ohlsperg große
Besitzungen hatten, sofort zu Exekutionen.

Aber auch die Immunität des persönlichen Einkommens des
Weltklerus wie des körperschaftlichen der Klöster und Kirchen war schon
vor Maria Theresia öfters in Frage gestellt worden. Als die
Regierung im Jahre 1614 einen Teil ihrer Schuldenlast auf den
Klerus als solchen legen wollte, hatte sie die Erlaubnis des schärfsten
Kanonisten unter den Päpsten, Pauls V., der über solche Fragen den
großen Kampf mit Venedig führte, vorsichtig eingeholt; als aber nach
dem westfälischen Frieden das Finanzwesen reformiert werden sollte, geschah dies nicht mehr. Damals stimmten die sonst untereinander habern-

den Ritter und Städte in der Behauptung überein, daß der Prälaten=
stand die vornehmsten Einkünfte von jeher gehabt habe und jetzt den
allgemeinen Kriegsruin benützt habe, um viele vornehme Güter und
Hoheitsrechte an sich zu bringen. Um der Gefahr zu entgehen, daß
auf sie der Hauptteil der Last gelegt würde, begrüßten damals die
Prälaten den Plan des kaiserlichen Kommissarius Jakob Buchenberger,
eine allgemeine gleichmäßige Einkommensteuer einzuführen. Sie er=
klärten auf die persönliche Steuerfreiheit zu verzichten, wenn dies auch
die Ritter täten. Diese erklärten freilich sofort, daß sie dies nicht
tun würden; „denn es würde alsdann der armselige Status, das ge=
ringe Vermögen und die vielen Schulden seiner Mitglieder an den
Tag gebracht werden, die Achtung, die bessere aestima, in der sie
sich noch befänden, würde dadurch untergraben und sie sowohl von
geistlichem als weltlichem Glück (worunter Pfründen und reiche Heiraten
zu verstehen sind) abgehalten werden". Darüber war damals die
ganze Finanzreform gescheitert, aber das Prinzip der Immunität war
schon durch jenes Anerbieten geopfert.[11]

Unter Maria Theresia hatten wieder die Breisgauer und benach=
barten Prälaten mit Darlehen ausgeholfen und auch weiter schlug
ihr Führer Gerbert der Kaiserin vor, sich mit dem französischen System
der dons gratuits gegenüber dem Klerus zu behelfen. Bei der wachsenden
Finanznot des siebenjährigen Krieges sah sich jedoch die Kaiserin ge=
nötigt, über die Realsteuern hinaus zu einer Personalsteuer, der Erb=
schafts= und Schuldensteuer, zu greifen, die für die ganze Monarchie
einheitlich gestaltet werden sollte. Für den Säkularklerus trat noch
eine Kopfsteuer hinzu, bei der jeder Pfarrer mit 4 fl., der Kaplan
mit 2 fl. angesetzt war. Die Repartition des so ermittelten Gesamt=
betrages sollte den kirchlichen Behörden überlassen bleiben. In der
Selbstverwaltung der Ruralkapitel der Weltgeistlichkeit waren längst
solche Tarife aufgestellt. Die inneröstreichische Geistlichkeit, an Ge=
horsam gewöhnt, scheint nicht widersprochen zu haben. Jetzt aber
zeigte es sich, wie unbequem es werden konnte, mit einem auswärtigen
Metropoliten, der selber Reichsfürst war, zu tun zu haben. Der
Erzbischof von Salzburg legte für seine Suffraganbistümer eine scharfe
Verwahrung ein, die auch in den Vorlanden verbreitet wurde. Er
verglich in ihr Österreich mit Ägypten, um zu zeigen, daß der dortige
Finanzminister Joseph zwar wohl berechtigt war, dem Volke alles,
zuletzt auch noch die Freiheit zu entziehen, daß er sich aber wohl

gehütet habe, die Güter der Priesterschaft anzutasten. Nach dieser seltsamen Bekundung der Interessensolidarität der Priester aller Zeiten und Religionen hatte er die üblichen kanonischen Forderungen auf volle Immunität des Klerus erhoben, schließlich aber doch nur verlangt, daß der Klerus nicht schlechter behandelt werde als andre Stände. Dies aber geschehe, wenn der Steuer nicht nur neue Anfälle, sondern auch Einkommen aus Fundationsgütern unterworfen würde. So hochfahrend er seinen Protest begonnen hatte, so wehmütig endete er ihn mit einem Appell an „Ew. Majestät bekannt allerzärtestes Gewissen". Jedoch hörte Maria Theresias Gewissen in Finanzsachen auf gegen die Geistlichkeit zart zu sein.

Weniger laut, aber noch zäher war der Widerstand der Geistlichen in der Konstanzer Diözese. Als die Steuerfassionen eingefordert wurden, weigerte sich die Geistlichkeit, bis sie von ihrer geistlichen Obrigkeit aufgefordert würde. Der Präsident der vorderösterreichischen Regierung, von Summeraw, der immer dem Klerus geneigt war, suchte jetzt durch Verhandlungen mit Kardinal Rodt gütlich zum Ziele zu gelangen, aber er erfuhr die heftigste Zurückweisung. Und unter der Hand wies ein bischöflicher Erlaß die Geistlichen an, zwar der Eintragung der Fundationsgüter und Pfarrzehnten in die Fassionstabellen keinen Widerstand entgegenzusetzen, jedoch eher alle Gewalt und Ohnmacht auf sich zu nehmen, als derlei Güter zu versteuern. Solche Proteste schreckten Maria Theresia nicht ab. Die Breisgauer Regierung erhielt eine scharfe Rüge, daß sie sich überhaupt mit der Konstanzer Kurie in Verhandlungen eingelassen habe über eine klare, fraglose Sache, die noch weniger einer geistlichen Entscheidung unterliege. Die Berufung des Kardinals Rodt auf die Konkordate von 1629 entkräftete man damit, „daß diese von außerordentlichen Steuern, keineswegs aber von der jedermann obliegenden ordentlichen Abgabe an den Staat reden". Der moderne Staat, der nur die allgemeine staatsbürgerliche Steuerpflicht kennt, durfte vornehm einen Zustand ignorieren, der andere als außerordentliche Steuern noch gar nicht gekannt hatte und darum auch nur diese hatte ausschließen wollen.

Die Angelegenheit war für die Geistlichkeit nicht dazu angetan, um nach der Weisung ihres Bischofs ein Märtyrertum auf sich zu nehmen. Sie gehorchte jetzt und hatte später nur zu klagen, daß diese „allgemeine Steuer" fast nur auf den Klerus gefallen sei, weil alle übrigen Mittel und Wege gefunden hätten, sich ihr zu entziehen.[18]

Nur die Johanniter, die als halbe Geistliche und ganze Ritter
gewöhnt waren, dem Staate nie etwas zu zahlen, kämpften uner-
schrocken gegen Mandate, Verweise wegen ungebührlichen Tones und
militärische Exekution, die ihnen übrigens nichts Neues war. Schließlich erreichten sie auch dank ihrer einflußreichen Verbindungen, daß
sie ein weit geringeres Pauschquantum als die Geistlichkeit zu zahlen
brauchten. — Der Schwager der Kaiserin, Karl von Lothringen, war
ihr Großmeister.[13]

Es folgte unmittelbar darauf die große Grundsteuerregulierung
und die Reform des Ständewesens. Wir haben sie früher kennen gelernt und gesehen, wie gerade die Zustände in den geistlichen Dominien
schließlich der Kaiserin dazu halfen, ihren Willen durchzusetzen. Als
die Dominikalsteuer gleicherweise für Prälaten und Ritter eingerichtet
war, hat die Kaiserin zuletzt auf Bitten dieser beiden Stände noch
zugelassen, daß sie offiziell als «donum gratuitum» bezeichnet wurde,
so unzutreffend jetzt auch dieser Name war. Wenigstens am Worte
hafteten die beiden privilegierten Stände, nachdem sie die Sache hatten
opfern müssen. Schon vorher waren bei der Reform der Gebäude-
steuer auch Pfarrhöfe und sogar neue Kirchen angelegt worden; nur
für die Spitäler sollte eine Ausnahme gemacht werden, wenn ausdrücklich nachgewiesen würde, daß sie in ihrem Zweck durch die Steuer
beeinträchtigt würden.

So war das Ziel der staatsbürgerlichen Steuergleichheit dem
Klerus gegenüber von Maria Theresia glänzend erreicht. Ein neuer
Rechtsboden war geschaffen; eben dadurch war aber auch die Existenz des
Prälatenstandes von neuem gesichert. Dennoch kam es auch unter
ihr noch, wenn auch nicht durch ihr besonderes Zutun zu einer großen
kirchlichen Veränderung, die der Vorbote so vieler anderer, noch tiefer
greifenden werden sollte. Dies war die Aufhebung des Jesuitenordens.
Österreich und Maria Theresia hatten an der Bekämpfung der Gesellschaft Jesu so wenig Anteil genommen, daß Papst Clemens XIV.
sogar bis zuletzt ihren Widerspruch fürchtete und von einer Sorge
befreit war, als sie sich wenigstens gleichgültig verhielt.[14] In der Tat war
jedoch auch in Österreich unter dem Einfluß der staatsfreundlichen Kanonisten und des jansenistisch gesinnten Leibarztes van Swieten, der Einfluß der Jesuiten schon völlig gebrochen. Keine Stimme erhob sich zu
ihrer Verteidigung. Am Oberrhein waren die Zwistigkeiten zwischen
der Gesellschaft auf der einen Seite, dem Weltklerus und der Uni-

verfität auf der andern, die überall unvermeidlich waren, wo die neue
anspruchsvolle und tätige Organisation sich in die Reihe der älteren
und erbgesessenen drängte, ziemlich ausgeglichen. Die Auseinandersetzung
hatte hier längst stattgefunden und die Jesuiten waren jetzt seit langem
im ungestörten Besitz ihres erworbenen Anteils. In Freiburg, Rottenburg und Konstanz hatten sie die Gymnasien ganz oder zum größeren
Teil in Händen, sie besetzten regelmäßig einige Professuren der Universität, namentlich in der Ortenau hatten sie von ihrer Residenz in
Ottersweier aus auch die dauernde Verwaltung der Pfarren übernommen,
deren eine ganze Reihe ihren Kollegien inkorporiert war. Sie hielten
es damit wie im gleichen Falle die Benediktiner, nur war die Beaufsichtigung vom Kollegium aus etwas straffer als dort; auch wohnten
diese Pfarrvikare, wo es anging, mehr zusammen in einer Residenz.
Ihre alte Organisationsgeschicklichkeit hatten sie allerwärts durch Stiftung
von Bruderschaften bewährt, und mit den Benediktinern wetteiferten
sie, in den Landschaften, in denen sie wirkten, je einen Mittelpunkt
religiöser Verehrung, „eine Wallfart" in Aufnahme zu bringen.

Die Überführung der Jesuiten in ihre neuen Stellungen vollzog
sich hier daher ohne alle Schwierigkeit. Die Pfarrvikare wurden nun
die ordentlichen Pfarrer ihrer Gemeinden, auch die Professoren blieben
meist in ihrem Amt. Für die übrigen wurden Pensionen (monatlich
12 fl. und 100 fl. sofort) ausgesetzt. Die Bevölkerung, die die alten
Männer in den alten Stellungen weiterwirken sah, kümmerte sich wenig
um die Veränderung des Habits.

Um so mehr Schwierigkeiten bereiteten die Auseinandersetzungen
über das Vermögen der Anstalten, und die Anordnungen, die Maria
Theresia hierbei in den Vorlanden traf, sind für Österreich auch in
der Folgezeit wichtig geworden. Noch einmal trat hier das Reich als
solches in Aktion; freilich nur, damit sich nochmals zeige, wie groß
seine Ansprüche und wie gering seine Macht gegenüber den Territorialherrschaften waren. Die Gesellschaft Jesu, der durch ein Statut der
Erwerb von lehenspflichtigen Gütern untersagt war, hatte gern reichs-
freie Güter erworben, viele ihrer wichtigsten Niederlassungen lagen in
Reichsstädten und schon deshalb waren die Reichsbehörden genötigt,
sich um das Schicksal der Güter zu bekümmern; es war aber überhaupt eine Rechtsregel nötig, um die Verteilung der Einkünfte, die
ein Kollegium aus verschiedenen Territorien bezogen hatte, zu regeln.
Denn jeder suchte nach der Aufhebung des reichen Ordens, soviel

davon zu behalten oder an sich zu ziehen, als ihm möglich war. Reichsstädte und Reichsritterschaft, die am häufigsten noch den Schutz der Reichsverwaltung, die im Reichshofrat ihren Sitz hatte, anriefen, war bei diesem Wettbewerb im Nachteil. „Die übermächtigen Landes=herren", so klagten sie, „zögen die Jesuitengüter ohne weiteres ein, entfremdeten sie dem reichsritterschaftlichen Verband, verweigerten die Beiträge, veränderten willkürlich die Stiftungszwecke." Besonders die drei geistlichen Kurfürsten, die hier mit doppelter Autorität auftraten, so daß ihnen noch einmal die geistliche Würde zur Mehrung welt=lichen Besitzes diente, hielten reiche Ernte. Die Stadt Köln hatte Mühe, ihrem Marzellengymnasium die nötigen Einkünfte aus dem Kurstift zu sichern, und die schönen Weingüter an Rhein und Mosel — Jesuitengarten ist eine gute Marke —, nach denen die Reichsritter=schaft ausschaute, fanden mächtigere Liebhaber.

Den unmittelbaren Anlaß zu dem Mandat des Reichshofrats, das einige Generalregeln aufstellte, gab ein Zwist der Ritterschaft der Ortenau mit Baden. Das Jesuitenkolleg in Baden=Baden besaß das freiadelige Gut Ebenung. Kaum war die Bulle bekannt geworden, so hatte es die Ritterschaft auch schon in Besitz genommen; aber nach wenigen Tagen war ein badischer Beamter in Begleitung des Pro=kurators der Jesuiten erschienen, und hatte alles wieder auf den alten Fuß gesetzt; denn, da die Bulle in Baden noch gar nicht verkündet sei, seien auch die Güter noch nicht vakant. Karl Friedrich wollte augenscheinlich sowohl die Staatshoheit gegenüber Anordnungen der Kirche festhalten, wie es in gleichem Falle zugunsten der Jesuiten aber in etwas mächtigeren Staaten Friedrich der Große und Katharina II. taten, und seine neuen katholischen Untertanen in Baden=Baden, die ihm damals die größten Schwierigkeiten machten, beruhigen. Vor allem wollte er aber auch, daß dem Badener Stift oder vielmehr der neugebildeten katholischen Stiftungsverwaltung nichts von ihren Einkünften entgehe.

Der Reichshofrat unterzog das Breve Dominus ac redemptor noster seiner Kritik. Die Frage, ob der Papst überhaupt ohne Zu=stimmung des Kaisers als obersten Vogtes der Kirche einen Orden aufheben könne, sei streitig; — jedoch ließ er klugerweise diesen pro=blematischen Anspruch auf sich beruhen —; unzweifelhaft aber sei, daß der Orden seine Ausbreitung im Reich kaiserlichen Freibriefen zu danken gehabt habe. Deshalb hätte die Bulle gar nicht den Bischöfen unmittelbar sondern erst nach Erlangung des Placet durch den Kaiser mitgeteilt werden dürfen, zumal die Tätigkeit der Jesuiten in Er= ziehung, öffentlicher Lehre, Predigt derart sei, daß die Aufhebung einen sehr wesentlichen Einfluß auf das allgemeine Beste des gesamten deutschen Reichs, vorzüglich auch in betreff der darinnen obwaltenden Verschiedenheit der Religionen wirke. Der Reichshofrat stellte daher einen Protest beim Papst in Aussicht mit der Aufforderung, das Ver= säumte alsbald nachzuholen, widrigenfalls man von Reichs wegen auf den Vollzug der Bulle ein allgemeines Verbot legen würde. Dem Reichstage sei eine ausdrückliche Erklärung vorzulegen, wonach die Bischöfe im allgemeinen angewiesen werden sollten, Bullen, die «in statum publicum» einschlügen, nicht zu publizieren. Die diesmalige Publikation solle nur erlaubt sein, wenn jener Artikel unterdrückt werde, durch den der Papst die geistliche und weltliche Gerichtsbarkeit von den Oberen des Ordens auf die Ordinarien des Ortes übertrage. In ihm sah man einen unerhörten Eingriff der Kirche in die Rechte des Staates.

So gebärdete sich der Reichshofrat, als ob das Reich wirklich noch ein Staat sei und verband mit der alten imperialistischen Doktrin die neuen Ansprüche des territorialistischen Kirchenrechts, das man später nach seinem entschiedensten Vertreter, das josephinische genannt hat. Dieses letzte Nachspiel des Kampfes zwischen imperium und ecclesia hat aber nur etwas Staub in den Reichs= und fürstlichen Kanzleien aufgewirbelt.

Juristisch völlig unanfechtbar waren die Grundsätze, die über die Verwendung der Jesuitengüter mit dem Anspruch für alle Glieder des Reiches zu gelten aufgestellt wurden: Der Kaiser — ward hier ausgeführt — habe nur die Regeln, die der Natur der Sache ent= sprechen, festzustellen. Nun sei der Orden sowohl im ganzen als auch in seinen einzelnen Kollegien in seiner Eigenschaft als Bettel= orden vermögensunfähig gewesen, auch das Aufhebungs=Breve habe nochmals betont, daß aus den Kollegien gar kein Vorteil und Nutzen für die Gesellschaft Jesu habe fließen dürfen, also seien die Kollegien lediglich Werkzeuge zur Ausführung eines Zweckes, dem allein sowohl die Fundationsgüter wie alle erworbenen gewidmet sind. Nach der Aufhebung des Ordens bleibe also das Eigentum nach wie vor bei den von ihm nur versehenen, jetzt als selbständig fortbestehenden

Schulen, Lehr= und Predigtämtern. Und deshalb sind alle Einkünfte für ihre bisherigen speziellen Zwecke an jenen Orten, wo sie bisher gewesen, auch weiter zu verwenden. Dem Landesherrn als Rechts= nachfolger der Jesuiten stehe also die Verfügung nur mit dieser Be= schränkung zu. Gleichgültig aber sei, wo die Güter liegen, ob im eigenen, ob im fremden Territorium. Erst wenn alle jene besonderen lokalen Zwecke durch die Einkünfte der Jesuitengüter gedeckt seien, stehe der Überschuß zur Verfügung des Landesherrn, aber auch dann ist er beschränkt auf jene allgemeinen Zwecke, zu denen die Gesellschaft Jesu gestiftet worden sei. Übrigens sei es leicht vorauszusehen, daß nirgends ein solcher Überschuß vorhanden sein werde, da die Schul= verwaltung ohne Jesuiten in Zukunft viel teurer als bisher ausfallen würde. Dem Reichstag und den einzelnen Ständen sei aber besonders einzuschärfen, daß der Pflicht zu notwendigem Unterricht der katho= lischen Jugend und des gemeinen Mannes kein Abbruch geschehe. In den Einzelfällen wurde das Vorgehen der rheinischen Kurfürsten verurteilt, Baden erhielt halb und halb recht. Den Ritterschaften wurde bedeutet, daß sie als Verband gar kein Fiskalrecht auf herren= lose Güter auszuüben hätten, wohl aber für den Kaiser Besitz er= greifen dürften, der dann nach jenen oben entwickelten Grundsätzen verfahren würde.

Wie aber hätte das Reich die Macht und der Kaiser, der selber den größten und eigenwilligsten Territorialstaat vertrat, auch nur die Lust gehabt, nach diesen Grundsätzen konsequent zu handeln! Die fünf reichsritterschaftlichen Kantone unter Führung des schwäbischen und ortenauischen waren nur mäßig mit dem Reichsgutachten zufrieden. Sie beschlossen es streng geheimzuhalten und hofften immer noch, daß die reichsfreien Jesuitengüter zum Taxpreise an ihre Mitglieder über= gehen würden, da der Erwerb durch andere ausgeschlossen sei. Sonst begrüßten sie es, daß wenigstens das Recht der Landesherren ein= geschränkt sei. Bald darauf (28. Juli 1774) erfolgte an alle Ritter= kantone des Reiches die Weisung. die bisher nicht okkupierten reichs= ritterschaftlichen Jesuitengüter im Namen des Kaisers provisorisch in Besitz zu nehmen, den Ertrag zu untersuchen und dem Kaiser zu be= richten, zugleich aber den Landesherren jener Kollegia zu versichern, daß ihren Anstalten nichts, was zum Unterhalt nötig sei, entzogen werde. Zugleich verlangte man Bericht, wie weit sich noch Überschüsse über die Pensionen der Exjesuiten ergäben.

Nun aber zeigte sich die ganze Schwäche des Reichs. Niemand kehrte sich an die Bestimmungen des Reichshofrats, jeder nahm, was ihm erreichbar war. Nur Baden bekam durch die Entscheidung des Reichshofrats Ebenung zugewiesen mit der Verpflichtung, den ritterschaftlichen Beitrag davon zu zahlen. Fürstenberg dagegen behielt ohne weiteres die Jesuitengüter in Linz. Was das Entscheidende war: In Vorderösterreich wurde auf Anweisung von Wien der Grundsatz befolgt, auch alle Einkünfte auswärtiger Kollegien in Beschlag zu nehmen. So geschah es mit dem großen Rektorat Ottersweier in der Ortenau, auf das das Badener Kolleg hauptsächlich angewiesen war. Und als nun selbstverständlich Karl Friedrich wenigstens den Anteil der Einkünfte von Ottersweier behielt, der in seinem Land lag. nahm die Freiburger Regierung unter dem Namen von Repressalien alle andern Gefälle des Badener Kollegs; alle Kapitalien desselben, die in Österreich angelegt waren, sogar die Privatstipendien für arme Studenten wurden zurückbehalten. Alle Vorstellungen, die Berufung auf die Grundsätze des Reichshofrats, die sich Karl Friedrichs Regierung sofort zu eigen machte, waren vergeblich. Und bei der Stimmung in Baden-Baden entschloß sich der protestantische Markgraf, zur Beruhigung seiner katholischen Untertanen die gestifteten Messen selber zu bezahlen.

Bedeutsamer für die österreichische Kirchenpolitik als diese Anwendung des beliebten merkantilistischen Grundsatzes, daß man kein Geld aus dem Lande gehen lassen dürfe, war das Verhalten der Kaiserin gegen das Bistum Konstanz in der gleichen Frage. Im Jahre 1603 war in der Stadt Konstanz das Jesuitenkolleg gegründet worden, indem der Bischof, das Kapitel und die reichen Abteien der Diözese das nötige Fundationskapital aufgebracht hatten. Die Absicht der Klöster und des Kapitels war ursprünglich gewesen, ein Priesterseminar nach der Vorschrift des Tridentiner Konzils zu errichten, aber hier wie in so vielen Fällen hatten die Jesuiten den Stiftern klar gemacht, daß sie viel besser durch ein Kollegium der Gesellschaft zu ihren Zwecken gelangten. Sie hatten binnen kurzem die noch immer in der Hauptmasse protestantische Bevölkerung der Stadt zum Katholizismus zurückgeführt; die Freigebigkeit des Adels der Nachbarschaft hatte ihnen die Ausbildung des Gymnasiums, die reichlichen Spenden des Volks die Errichtung großer Gebäude ermöglicht. Bei ihrer Berufung hatten sie aber mit dem Bischof einen jener Kontrakte geschlossen, wie ihn Ignatius Loyola selber zuerst mit Albrecht von Baiern verabredet hatte: Sobald die Gesellschaft das in sie gesetzte Vertrauen nicht rechtfertige oder sich von dieser Tätigkeit ohne Einwilligung der Bischöfe zurückziehe, so solle die Stiftung an den Bischof zu anderweitiger Verfügung zurückfallen. Als nun das Breve Clemens XIV. erlassen wurde, hatte der alte Kardinal Rodt zuerst allerlei Schwierigkeiten gemacht, es in seiner Diözese zu verkünden und zur wirklichen Aufhebung des Ordens zu schreiten, hauptsächlich weil er das placetum regium hierbei in keiner Weise anerkennen wollte. Als er sich hierzu bequemt hatte, nachdem ihm die „peremtorische Weisung" zugekommen war, es zu halten wie in den andern österreichischen Diözesen, glaubte der Kardinal der Regierung seine Bedingungen mit Berufung auf jene Stiftungsurkunde machen zu können. Er verlangte, daß in den Schulen die sämtlichen alten Lehrer aus dem Orden belassen würden und forderte einen Teil der Jesuitengüter als heimgefallene Lehen für sein Territorium. Die Regierung stellte sich aber hier auf den Standpunkt des Reichshofratsediktes: Die Zwecke der Stiftungen, erklärte sie, seien nicht verändert, nur ordne der Landesfürst unter den obwaltenden Umständen eine andere Ausführung an, wie denn Regulierung der Schulen, Bestellung und Bestätigung der Lehrer unmittelbar dem Landesfürsten zukomme. An diesem Grundsatz ließ Maria Theresia, die das vielberufene Wort, daß die Schule ein Politicum sei, gesprochen hatte, nicht rütteln; und als Kardinal Rodt noch nicht nachgab, ließ sie gegen das Ende des Jahres 1774 ihn „bedeuten": wenn er nicht die Einkünfte sofort ungeschmälert ausliefere, werde sie mit der Sperre aller in Österreich belegenen Bezüge des Bistums vorgehen. Sie kannte ihren alten Freund, der in seinem prächtigen Schlosse auf der Meersburg schon jetzt ohne ihre Beihilfen, um die er so oft demütig gebeten hatte, nicht auskam. Umgehend erklärte der Kardinal „nach angewohnter, allerdevotester Gedenkensart gegen Ihre k. k. Majestät" seine völlige Unterwerfung und erhielt jetzt zugestanden, daß er in die Verwaltungsrechnungen des Stiftungsfonds Einsicht nehmen dürfe. — Man sieht, Maria Theresia hatte die reichsunmittelbaren Bischöfe, die in ihren Landen Diözesan-Rechte ausübten, ebensogut gezogen wie die „geistliche Dienerschaft" in den Erblanden!

Nach einigen Jahren, 1777, versuchte der Neffe und Nachfolger Rodts nochmals mit Berufung auf den alten Rechtszustand seine Befugnisse zu erweitern. Er verlangte die Verwaltung des Konstanzer Studienfonds und die Benennung der Lehrer in den theologischen Wissenschaften. Diesmal beauftragte die Kaiserin den bedeutendsten wissenschaftlichen Vertreter des territorialistischen Kirchenrechtes, der zugleich Rat bei der vorderösterreichischen Regierung war, den jüngeren Riegger mit dem Bericht. Nach der Weise dieser Schule, die die Verbindlichkeit früherer Akte an der Übereinstimmung mit ihrer eigenen Theorie maß, erklärte Riegger den Kontrakt von 1603 als eine einseitige, ohne landesherrliche Bewilligung abgeschlossene Handlung ohne Kraft. Ebenso wie der Bischof, könnten ja auch die Prälaten und der Adel die milden Gaben ihrer Vorfahren zurückfordern: „Früher mochte das durchgehen, als die Geistlichkeit überhaupt und insbesondere auch in Stiftungs= und Schulsachen ihr Ansehen und ihre Gewalt ohne Einschränkung ausbreitete und dagegen die landes= fürstlichen Gerechtsame entweder gar nicht oder doch nicht in gehörigem Maße geltend gemacht wurden. Jetzt nicht mehr! Welche Macht man sonst vielleicht auch jetzt noch den Bischöfen zugestehen möchte, das Recht der Direktion des Studiums und die Bestellung theologischer Lehrer sei wohl am allerwenigsten darunter zu verstehen. Dafür habe die Universität Freiburg das deutlichste aber zugleich traurigste Beispiel gegeben. Nie dürfe ein auswärtiger, von seinen vermeintlichen geist- lichen Vorrechten ganz eingenommener, hingegen auf die höchsten landesfürstlichen Gerechtsame eifersüchtiger Bischof bei den einheimischen und vaterländischen Studien einen Einfluß oder wohl gar die Ober- ·aufsicht und Direktion erhalten. Auf welch eine elende, pedantische und zugleich schädliche, auch den geläuterten Grundsätzen ganz ent- gegengesetzte Art die Theologie und das jus canonicum im bischöf- lichen Seminar unter den Augen und der unmittelbaren Aufsicht des Bischofs der jungen Geistlichkeit vorgetragen werde, sei bekannt genug. Woher rühre es übrigens, daß der Bischof nie dem Provinzial der Jesuiten gegenüber solche Ansprüche erhoben habe? Wie komme er dazu, es dem Landesfürsten gegenüber zu tun? Wozu also zweierlei, einander entgegengesetzte und widersprechende theologische Studien, ein landesfürstliches zu Freiburg und ein bischöfliches zu Konstanz!" Riegger deutete noch an, daß es finanziell freilich günstiger sein würde, dem Bischof die Lasten aufzuerlegen, aber nur um trotzdem die Pflicht des Staates, dies nicht zu tun, zu folgern.

Es bedürfte nichts als dieses Gutachten, um zu zeigen, daß der „Josephinismus" fertig war und seine Ziele und Maßregeln wohl überlegt hatte, ehe Joseph allein die Regierung übernahm. Wir sehen hier auch, aus welchen Kreisen die Träger dieser Gedanken hervorgingen. Noch war dieser Streit im wesentlichen ein solcher der Kanonisten der alten und neuen Schule. Die Ausfälle Rieggers gegen die elende Methode der bischöflichen Seminarien, seine Forderung, daß eine einheitliche Ausbildung der Theologen unter landesfürstlicher Aufsicht auf der Universität stattfinde, erhalten ihre Beleuchtung auch dadurch, daß im Jahre zuvor sein Lehrbuch des Kirchenrechtes für alle theologischen Unterrichtsanstalten Österreichs offiziell vorgeschrieben worden war. Wenn in dem neuen Studienplan für die theologischen Fakultäten, den Maria Theresia durch den Abt Rautenstrauch hatte ausarbeiten lassen, dem Kirchenrecht eine bevorzugte Stellung angewiesen war, so war es eben, um den Klerus im Geist des Territorialsystems erziehen zu lassen. Seit 1776 mußte jeder Kandidat des Priesteramtes ein Zeugnis über ein gut bestandenes Examen im Kirchenrecht beibringen. Die Generalseminarien Josephs waren nur die notwendige Konsequenz des Systems seiner Mutter, und Riegger hatte das deutlich genug ausgesprochen.

Durch die Aufhebung der Gesellschaft Jesu, die bisher für die Gymnasien und für die Ausbildung der Theologen auf der Universität gesorgt hatten, waren diese Fragen erst in Fluß gekommen. Sofort darauf wurde im Jahre 1774 das ausländische Studium der Theologen verboten, in den beiden nächsten Jahren jener neue Studienplan der Universität Freiburg durchgeführt, den bischöflichen Seminarien die Bedingungen der Aufnahme vorgeschrieben und die Zeit des Seminarbesuchs aufs knappste beschränkt. Die Bischöfe widerstrebten, namentlich der Baseler, dessen Priesterhaus in Pruntrut außerhalb des österreichischen Machtbereichs lag und schon deshalb den Territorialisten ärgerlich war; allein sie erreichten nichts. Die Zeit der Alleinherrschaft Josephs kündigte sich bereits überall in diesen letzten Lebensjahren seiner Mutter an.

VI.
Die kirchenpolitischen Reformen Josephs II.

Die Kaiserin Maria Theresia hatte bereitwillig aus der Theorie des territorialistischen Kirchenrechts die Machtbefugnisse entgegengenommen, die es dem Staate und dem Landesherren zuwies, aber sie hatte sich wohl gehütet, einen Gebrauch von ihnen zu machen, der den schlummernden Widerstand hätte heraufbeschwören können; und der wohlverdiente Ruf einer unerschütterlichen katholischen Gesinnung hatte die Änderungen, deren doch nur eine geringe Anzahl war, denen, die sie trafen, in einem milderen Lichte gezeigt. Die unzweifelhaft katholische Richtung, die sie auch in der hohen Politik zeitlebens verfolgt hatte, ließ den österreichischen Staat noch immer als die Säule der Kirche erscheinen, während alle andern, zumal die bourbonischen Staaten, zu wanken begonnen hatten.

Das alles änderte sich unter Joseph. Er unternahm es im ganzen Umfange die Forderungen des Systems, das er von seinen Lehrern empfangen, durchzuführen. Es war ihm eine heilige Pflicht. Auf andern Gebieten hat er seine Ziele verfehlt, weil er nach der allgemeinen Art tätiger und eigenwilliger Fürsten von Fall zu Fall regierte. So hat ihn am trefflichsten L. Häusser geschildert: „seine unstete Art gleichsam auf der Reise zu regieren, beim Anblick des Mißliebigen rasch eine Menge von Entwürfen zu extemporieren, um sie dann bald wieder selber zu verlassen und durch neue zu ersetzen". Für seine Kirchenpolitik gilt jedoch dieses Urteil nicht. Hier, wenn irgend wo, ist Joseph systematisch verfahren; alle Maßregeln sind konsequent und greifen ineinander. Aber nichtsdestoweniger ist er auch hier gescheitert. Überzeugt von der Größe und Gerechtigkeit seiner Sache hat er die Widerstände nicht richtig zu schätzen vermocht, weil sie vorher nicht vorhanden schienen und erst durch sein Vorgehen ausgelöst wurden. So ist es in kirchenpolitischen Kämpfen immer gewesen, so wird es vermutlich auch immer bleiben.

In den Vorlanden hat Joseph sogar noch weniger erreicht als in den andern Provinzen, weil die Verhältnisse hier so viel verwickelter lagen. Eine Unterstützung hat er hier eigentlich nur in einem kleinen Kreise von Universitätsprofessoren gefunden, die während

einiger Jahre in ihrem Blatt „der Freimütige" mit einem öfters
ungeschickten Eifer für Aufklärung und Toleranz eintraten. Die
Landesregierung und der ständische Konseß unter ihren Präsidenten
v. Posch und von Sumeraw haben ihm jede nur erdenkliche Schwierigkeit gemacht; und die Bischöfe, welche im Ausland ihren Sitz hatten,
stellten sich jetzt doch als weit weniger fügsam heraus, als er es bei
seinen Österreichern gewohnt war. Wir sahen, wie kurz Maria
Theresia zumal den Konstanzer Fürstbischof im Zaum zu halten verstand, wie sie ihn ihre harte Hand fühlen ließ, sobald er sich der
Unterwürfigkeit einmal zu entziehen suchte. Sie hatte es sich zum
Vorteil zu wenden gewußt, daß dieser Untergebene zugleich ein einfluß-
reicher Reichsfürst war. Für Joseph, der überall das System der
Zentralisierung und Geschlossenheit des Staatsganzen durchführte, war es
Grundsatz, den Zusammenhang mit dem Ausland zu lösen. Mehr als
irgend etwas anderes hat dieses Vorgehen die geistlichen Fürsten gegen
ihn aufgebracht und sie veranlaßt, bei Friedrich dem Großen und im
Fürstenbund Anlehnung zu suchen. Was Joseph Salzburg und
Passau gegenüber noch gelang, mißglückte bei Konstanz.[1] Er hat Plan
um Plan versucht: Errichtung eines eigenen vorderösterreichischen
Landesbistums, sofort oder doch später nach dem Tode des jüngeren
Rodt, oder wenigstens ein Suffraganbistum mit dem Sitze in
St. Blasien. Damit glaubte er, zwei Vorteile auf einmal zu er-
reichen; denn so wäre das mächtigste unter den Klöstern, indem man
es erhöhte, zugleich seines Charakters entkleidet worden und in die
Weltgeistlichkeit übergegangen. Eben das wollte man in St. Blasien
vermeiden. Dem „Fürstabt" Gerbert gelüstete es nicht darnach, ein
stellvertretender Bischof zu werden, und mit bewußter Bescheidenheit
wünschte der Konvent auch fürderhin aus „gemeinen Leuten" zu bestehen und sich des Eindringens abliger Domherrn, die man nur zu
gut aus der Nachbarschaft kannte, zu erwehren. Die Zertrümmerung
des Bistums Konstanz aber, gegen die der Bischof schon in Mainz
um Hülfe nachgesucht hatte, würde die gesamten Domkapitel Deutschlands
und alle Österreich abgeneigten Stände veranlaßt haben, gemeinsame
Sache zu machen. So warnte Dalberg im Jahre 1787, indem er dem
österreichischen Gesandten in Mainz vertraulich jenes Gesuch mitteilte.
Er war damals vor seiner Wahl zum Koadjutor noch eifriger Gegner
des Kurfürsten und seiner Fürstenbunds-Bestrebungen. Nicht einmal
die schon vorher (1784) erhobene Forderung, daß die fremden Bischöfe

Generalvikare, die in Österreich zu residieren hätten, aufstellen sollten, war durchzusetzen gewesen. Man sagte sich in Wien selber, daß ein solcher Stellvertreter doch immer von seinem Bischof ab= hängig bleibe und daß man dem verschuldeten Bistum Konstanz, dem man sich aufschickte, die Einkünfte noch immer weiter zu beschneiden, eine solche Ausgabe nicht zumuten köne.

Bei einer so grundsätzlichen Abneigung Josephs, dem ausländi= schen Bischof Einfluß in seinen Staaten einzuräumen, war auch die Erweiterung der Rechte der Metropoliten über ihre Geistlichkeit, die im allgemeinen System seiner Kirchenpolitik lag, in Vorderösterreich nicht so beträchtlich wie in den andern Kronländern.² Gehorsam, wie sich die Bischöfe dort verhielten, durften gerade sie als die zuverläs= sigsten Werkzeuge der Krone gelten. Aber auch abgesehen hiervon hatte doch der Josephinismus ein gut Stück von den bischofsfreundlichen Grundsätzen des Hontheim=Febronius aufgenommen. Wir haben gar keinen Grund zu zweifeln, daß es Josephs eigener kirchlicher Über= zeugung entsprach, wenn er die bischöfliche Gewalt wenigstens gegen den Papst und die eximierten Orden sicherer stellte. Nur mußte auch diese Rücksicht zurücktreten, sobald ein anderes Staatsinteresse dazwischen trat. Auch in den Vorlanden wurden (29. 1. 1782 und 11. 9. 1782) die Dekrete veröffentlicht, welche alle Kloster=Exemtionen aufhoben. Den Mönchen wurde dabei klar gemacht, daß sie in Österreich überhaupt nur unter der Bedingung zugelassen seien, daß sie dem Weltpriester= stand in der Seelsorge aushülfen, wozu die Unterordnung unter den Bischof unbedingt nötig sei, da diesem Gott alle Schafe ohne Ausnahme des Standes in seiner Diözese zu leiten übergeben habe. Die Auf= fassung war mehr praktisch als historisch richtig; in dem Edikt selber war als weiterer Grund noch angeführt: damit schädliche Geldsendungen an die fremden Behörden aufhörten. Diese Bemerkung richtete sich gegen fremde Obere und vor allem gegen den Papst. Schon Maria Theresia, die den merkantilistischen Grundsatz, die Ausfuhr baren Geldes zu verhindern, noch etwas ängstlicher handhabte als ihr Sohn, hatte im Jahre 1772 Erhebungen über die Gelder, die für Dispense nach Rom gingen, anstellen lassen. Ob aber das Geld nach Rom oder nach Meersburg kam, schien Joseph dasselbe zu sein. Die Freiburger Regierung, die immer die Sache ihrer Prälaten wie gegen Joseph so auch gegen den Bischof als Landessache ansah, brauchte den Kaiser nur daran zu erinnern, daß in den Vorlanden kein Bischof residiere,

um sofort eine Erklärung von ihm zu erlangen, daß für diese eine
Ausnahme gemacht werde (20. 4. 1782). Den Prälaten selber wurde
mitgeteilt, daß ihnen die Exemtion erhalten bleibe.

Wenn nun trotzdem später die alten Verträge, durch die im
17. Jahrhundert St. Blasien, die Deutschherren und Johanniter sich
eine weitgehende Unabhängigkeit gesichert hatten, aufgehoben wurden,
so lag es daran, daß der moderne Staat solche Sonderverträge
seiner Untertanen nicht dulden konnte. Nach fünfjährigen Verhandlungen mit dem Bischof von Konstanz kam man endlich zu einem
Vertrag, in dem nur zum Schein ein eigenes Ruralkapitel der von
St. Blasien aus versehenen Schwarzwaldpfarren eingerichtet wurde,
während diese nach wie vor dem Kloster untergeben blieben. Wenn
die übrigen inkorporierten und von Mönchen versehenen Pfarren sich der
Visitation der Dekane und der Einordnung in die Landkapitel fügen
mußten, wenn auch für die Erbschaften dieser Ordenspfarrer fortan
gleiche Grundsätze wie für den Weltgeistlichen gelten sollten, so gab
dafür die Abneigung Josephs gegen diese ganze Vermischung von
Welt- und Ordensgeistlichkeit, die er nur noch als Notbehelf duldete,
den Ausschlag und nicht die Zuneigung zum Bistum Konstanz.

Das zeigt sich erst recht deutlich an der Art, wie jetzt die Fragen
der kirchlichen Gerichtsbarkeit behandelt wurden.[8] Wie scharf Maria
Theresia die Forderung des Placet für die Veröffentlichung päpstlicher
Bullen durchgeführt hatte, sahen wir; jetzt forderte es Joseph auch
für alle bischöflichen Erlasse, für Hirtenbriefe und Fastenordnungen.
Der Bischof von Basel weigerte sich und erklärte, daß er die Erfüllung dieses Patents nicht mit der Ausübung seiner bischöflichen
Jurisdiktion vereinbaren könne. Kaunitz aber erklärte im Staatsrat
gegen die Mitglieder, welche noch den milderen Weg der Belehrung
des unbotmäßigen Bischofs einschlagen wollten: es sei unanständig
und bedenklich, sich mit ihm in eine Verteidigung der Grundsätze
eines Gesetzes, dessen strikte Befolgung ihm obliege, überhaupt einzulassen; und der Kaiser trat ihm bei. Der Bischof fügte sich; er
mußte sich fortan gefallen lassen, daß man ihm seine Hirtenbriefe
korrigierte, daß man ihm bedeutete: Visitationen seien nicht regelmäßig
sich wiederholende Einrichtungen, Abgaben davon dürfe er nicht erheben
und die Androhung von Exkommunikationen gegen Ungehorsame sei
durchaus unstatthaft. Dieser Bischof, meinte man in Wien, habe
immer die meisten Beweise geliefert, wie sehr sich bei ihm bis

zum Ende des 18. Jahrhunderts die verdorbene Kirchenzucht aus dem
elsten erhalten habe. Der Fürstbischof von Konstanz hatte sich gar
nicht mehr zu einem doch nutzlosen Protest aufgerafft, und der Straßburger, Kardinal Rohan, hatte nach seinem Sturze in Paris allen
Grund, sich wenigstens mit Marie Antoinettens Bruder gut zu stellen
und erwies Joseph jede mögliche Beihülfe in dem österreichischen Teil
seiner Diözese.

Weit größere Schwierigkeiten erhoben sich, als Joseph die Gleichstellung der Geistlichkeit mit den Laien im bürgerlichen Recht und
im Prozeß, die Maria Theresia doch nur eben begonnen hatte, durchführte. Gerade diese Unterordnung unter den Zivilrichter in Ver-
mögens-, Schulden- und Erbschaftssachen, die nach wenigen Jahrzehnten jedermann als eine selbstverständliche Tatsache erschien,
begegnete dem hartnäckigsten Widerstand. Ein- über das anderemal
berief sich der Bischof von Konstanz auf die alten Verträge, die seine
Vorgänger, zudem nicht nur als Bischöfe sondern als Reichsstände
abgeschlossen hatten. Getreu der Lehre von den unveräußerlichen
Souveränitätsrechten erklärte aber die geistliche Hofkommission: Wenn die
Vorfahren des Kaisers den Bischöfen eine Jurisdiktion in zeitlichen
Dingen eingeräumt hätten, so sei das als eine bloße Gnade anzu-
sehen, die jeder Nachfolger beliebig bestätigen oder zurücknehmen könne.
Allein im Staatsrat fanden sich doch einige alte Aristokraten, wie Fürst
Hatzfeld, welche meinten: Jeder würde Bedenken tragen, sich mit
Landesfürsten in Vergleiche einzulassen, wenn solche durch ein allgemeines Gesetz vernichtet würden; und der diplomatische Kaunitz warnte
mehrmals: der Gegenstand sei unbedeutend; mit jenen allgemeinen
Grundsätzen jetzt hervorzutreten, sei dagegen nicht rätlich und würde
nur neues gehässiges Aufsehen erregen; auch er erkenne den staats-
rechtlichen Unterschied an zwischen einem Bischof, der zugleich unmittel-
barer Reichsstand sei, dessen Rechte sogar durch die Friedensschlüsse
von Ryswyk und Baden gesichert wären, und einem bloßen Landes-
bischof. Vor allem: dieser Bischof, den man bei Kleinigkeiten so
wenig schone, so hart behandle, sei der ausschreibende und dirigierende
Fürst in dem großen schwäbischen Kreise. „Wüßten unsre Hofstellen",
ruft er aus, „alle politischen Nachteile, die hieraus entstehen, und alle
politischen Vorteile zu kalkulieren, die dadurch verloren gehen, so
würden sie sich sonder Zweifel nach ganz andern Grundsätzen beneh-
men". Er verwahrte sich freilich auch, daß er diese Rücksicht gegen

ben Bischof jemals über gleichgültige Dinge hinaus ausdehnen und
dessen Versuche, den vorderösterreichischen Klerus ganz in seine Abhängigkeit zu bringen und das Volk im Gehorsam gegen die weltliche
Obrigkeit wankend zu machen, begünstigen werde.

Joseph aber kannte — und hier gewiß mit Recht — in einer
so bedeutsamen Prinzipienfrage keine diplomatischen Rücksichten. Mit
eingehender Begründung trat er ganz auf den Standpunkt der geistlichen Kommission. Eine Gnade, ein Privileg seiner Vorfahren, das
jedes Staatsoberhaupt wieder aufheben kann, war ihm jene Zulassung
geistlicher Gerichtsbarkeit. Aus bloßer Gnade wollte er, wenn sie
erbeten würde, wohl noch einige vorläufige Zugeständnisse machen;
aber als der Bischof, auf seine besiegelten Urkunden trotzend, diesen
Weg nicht gehen wollte und, wie wir soeben sahen, beim Staatsrat
doch einigen Eindruck machte, ließ Joseph es lediglich bei der „schon
geschöpften Entschließung bewenden" (15. 12. 1786). Noch entwickelte
der Erzbischof von Mainz, an den als Metropoliten sich der Konstanzer Bischof gewandt hatte, Grundsätze, die sich zwar im Munde
des Primas von Germanien sehr stolz ausnahmen, aber ihren Zweck
durchaus verfehlen mußten: Die Rechte des Klerus auf eigene Gerichtsbarkeit — er schloß auch noch die Steuerfreiheit, mit der Maria
Theresia bereits aufgeräumt hatte, ein — seien weit älter als die
Landeshoheit selbst; sie seien als die Schranken anzusehen, über welche
jene sich nicht erheben dürfe. — Als ob es sich noch um die zufällige
Landeshoheit und nicht um notwendige Rechte des Staats als solchen
für Joseph gehandelt hätte!

Hatte man in jenen Edikten von der Kriminalgerichtsbarkeit
über Priester noch geschwiegen, so zog ein Dekret von 1787 die
Konsequenz, auch sie in ganzem Umfang für den Staat zu rekla-
mieren. Daran hat auch die revidierende Gesetzgebung Leopolds II.
nichts geändert, sondern sich begnügt, die Grenzen zwischen einem
geistlichen Disziplinarverfahren und strafrechtlicher Verfolgung sachgemäß zu ziehen.

Wenn der sonst so fügsame Bischof Rodt gerade diesen verlorenen
Posten des kanonischen Rechts bis zum Äußersten verteidigte, so lag
es doch daran, daß er hier ganz anders, als wo es sich um Geld-
fragen und Prüfungen handelte, seine Geistlichkeit hinter sich wußte,
ja von ihr gedrängt wurde. Es schien dieser, als ob durch die
Gleichstellung mit den Laien die Seelsorger in den Augen der Unter-

tanen herabgesetzt würben. Der ganze Unwille des gekränkten Standes
sprach sich dann in der Eingabe der Prälaten an Kaiser Leo=
pold II. aus. Hier redeten sie „von einer Herabwürdigung der
Geistlichkeit zur beinahe untersten Menschenklasse durch Verordnungen,
welche sie bereits der weltlichen Macht in allen Stücken unterworfen
hätten“. In einem Augenblicke, wo sie doch gerade Regierung, Land=
stände und das aufgeregte Volk ganz hinter sich hatten, wagten sie
zu klagen, „daß die Geistlichen seit dieser Gesetzgebung auf die ver=
ächtlichste Weise von unbescheidenen, stolzen und der Geistlichkeit ge=
häffigen Beamten und Ortsvorstehern, auch sogar von untertänigen
Bauerngemeinden, die sich gegen sie alles erlaubt zu sein vermeinen,
behandelt zu werden pflegten“. Jedoch für solche Ansprüche erhob
sich keine Hand mehr. Wenigstens diesen Prozeß hatte der Staat
vor der öffentlichen Meinung ein für allemal gewonnen.

Hand in Hand mit der Aufhebung der geistlichen Gerichtsbarkeit
ging die Schmälerung der bischöflichen Einkünfte.[4] Das Bistum
Konstanz, arm wie es war, war auf allerlei Einkünfte angewiesen,
die weder vor der kirchenrechtlichen Doktrin des Kaisers, noch vor
seiner ökonomischen, die der Geldausfuhr abgeneigt war, bestehen
konnten. Am bedeutendsten waren die Annaten, die hier der Bischof
ganz nach dem Muster der päpstlichen Finanzverwaltung bei Neu=
wahlen und Pfründenwechsel bezog. Die Prälaten hatten sie guten
Teils als Preis für die Bewilligung ihrer weitgehenden Selbständig=
keit auf sich genommen und zahlten sie nach den Verträgen, der Pfarr=
klerus nach Herkommen. Ohne weiteres wurden sie 1782 aufgehoben,
aber bei allen erdenklichen Instanzen bemühte sich der Bischof um
den Fortbezug, bald mit Heftigkeit, bald mit Rechtsverwahrungen,
bald mit Bitten. Auch hier stellte sich Joseph auf den Standpunkt
der geistlichen Kommission, die bei der juristischen Prüfung, wie sie
allein ihre Sache war, die Annaten, Konsolationen usw. für einen
bloßen Mißbrauch erklärt hatte. Auch hier waren im Staatsrat die
diplomatischen Bedenken laut geworden, wenn Kaunitz etwa zu erwägen
gab, daß es gegenwärtig mehr als jemals nötig sei, den begründeten
Gerechtsamen anderer Reichsstände nicht zu nahe zu treten. Für ihn
und die andern Diplomaten gab die Armut des Bistums und die
finanziellen Schwierigkeiten, in die es durch Aufhebung von Einkünften,
die es seit Jahrhunderten ruhig genossen hatte, geriet, den Aus=
schlag. Freilich war dann auch die Folgerung Martinis, des eifrigen

Vertreters des josephinischen Kirchenrechtes, allein richtig, daß in
solchem Falle der Religionsfonds mit einer Besoldung des Bischofs
einzutreten habe. Wer hätte aber diesem ohnehin unzulänglichen Fonds
auch noch diese Last auferlegen mögen?

Als der Bischof stillschweigend fortfuhr, Annaten zu beziehen,
schritt Joseph, auch hier den strengsten Weg einschlagend, mit scharfen
Strafen ein. „Einem Ordinarius, wie der Bischof von Konstanz
ist" — verfügte er eigenhändig (15. 12. 1786) —, „muß man nicht,
wie die Kanzlei und die geistliche Hofkommission einraten, durch die
vorderösterreichische Regierung neuerdings eine Drohung machen,
sondern man muß sie selber ohne weitere Erinnerung auf der Stelle voll=
ziehen." Er befahl die Eintreibung der Buße, Anzeige des Vollzugs
an ihn selber und „um den Beweis zu geben, daß man von den ein=
mal festgesetzten Grundsätzen nicht abzugehen entschlossen sei, und daß
sich auch jeder fremde Diözesan solcher fügen müsse", verfügte er gleich
die Aufhebung eines weitern Klosters. „Er mag dann seine Be=
schwerde anbringen, wo er immer will." Diese Beschwerde hat Rodt
natürlich nicht verfehlt, in Mainz anzubringen und zu fragen, wie weit
solche Straferkenntnisse eines Reichsstandes mit der Reichsverfassung
und den Friedensschlüssen vereinbar seien; er zog es aber gleich darauf
vor, „reumütig um Verzeihung und Nachlaß der Strafe zu bitten",
die er auch erhielt. Man drückte fortan die Augen zu, wenn die Stifter
und Geistlichen freiwillig die alten Abgaben weiterzahlten, taten es
auch etliche nur, „um den Chikanen zu entgehen". Die Verpflichtung
aber blieb aufgehoben, das allgemeine Verbot bestehen.

Für dieses läßliche Verfahren nach so viel Strenge waren doch
politische Bedenken maßgebend gewesen.⁵ Wie es Kaunitz immer
wiederholte: Man dürfe nicht den Einfluß so willfähriger Bischöfe
im Reiche verscherzen. Als die Beratungen über die Ausbildung des
Fürstenbundes im Gange waren, hatte bereits 1785 Markgraf Karl
Friedrich darauf gedrungen, daß der Bischof von Konstanz zum Bei=
tritt aufgefordert würde. Es schien ihm dies unbedingt nötig für
seine eigene Sicherheit. Stand der eine dirigierende Fürst des schwä=
bischen Kreises auf der Seite des Fürstenbundes, so war keine Kreis=
exekution selbst im schlimmsten Falle zu befürchten. Man war der
Meinung, daß Rodt nach den Bedrückungen, die er von Joseph erduldet
habe, eine Annäherung keinesfalls ausschlagen werde. Zudem hatte
der Kaiser dem Konstanzischen Kanzler Hebenstreit die Pension ent=

zogen; und schließlich konnte das Vorgehen des Mainzer Kurfürsten
auch andre geistliche Herren zur Nachfolge reizen. Wirklich begab
sich ein Gesandter Friedrichs nach Konstanz; doch konnte bald der
österreichische Kreisgesandte Lehrbach, der die kleinen schwäbischen
Kreisstände in strenger Zucht hielt, wieder melden: die Domherren
hätten ihm versichert, daß sich der Fürstbischof zu einem solchen Miß=
tritt gewiß nicht entschließen würde. Jedenfalls aber müsse man ein
Auge darauf behalten, daß bei einer künftigen Wahl „ein dem aller=
höchsten Hof zuverlässig devotes Subjektum" in Aussicht genommen
werde bei der Wichtigkeit der ausschreibenden Stelle, und um die immer.
zudringlichere Benehmungsart des badischen Hofes in Schranken zu
halten.

Dennoch hatte gerade in der nächsten Zeit Joseph den Bischof
seine Hand am härtesten fühlen lassen. Jedoch machte es jetzt wohl
einigen Eindruck, als der Gesandte bei Kurköln Graf Metternich be=
richtete (26. 4. 1787): Mainz habe die Konstanzer Beschwerde den
übrigen deutschen Bischöfen mitgeteilt, der Zweck sei leicht ersichtlich:
ein engeres dem Fürstenbunde ähnliches Einverständnis der geistlichen
Reichsfürsten gegen den Wiener Hof. Rodt unterwarf sich jedoch Joseph,
wie sich sein Oheim Maria Theresia unterworfen hatte, und beim
Suchen nach dem unbedingt devoten Subjektum warf damals Österreich
sein Auge gerade auf den Koadjutor von Mainz, auf Dalberg. Dieser
größte Virtuose der Anpassung und Charakterlosigkeit, der jeden Front=
wechsel mit gleicher Begeisterung vollzog, konnte damals, wie wir
schon sahen, als Gegner des Fürstenbundes gelten. Er war als
liberal bekannt und bestimmend war für Joseph, daß er ihn glaubte
für die Lostrennung Vorderösterreichs von der Diözese Konstanz ge=
winnen zu können; denn im Besitze zweier anderer Bistümer, Mainz
und Worms, werde er auf einen Teil der ohnehin geringen Kon=
stanzer Einkünfte leicht verzichten.

Ganz andre Umwandlungen, als man sie sich damals träumen
ließ, sollte einst dieser letzte Kurerzkanzler des Reichs in Kirche und
Staat durchführen helfen; in Konstanz aber ist Dalberg in der Tat
der Erbe der josephinischen Tradition gewesen; und auf diesem
Bischofsstuhl, dessen Inhaber einst als Reichsfürsten zwischen Demut
und Opposition gegen Österreich hin= und hergeschwankt hatten, sollte
sein letzter Verweser Wessenberg verspätet die Fahne einer liberalen deut=
schen Nationalkirche entfalten.

Die eigentliche Sorgfalt und alle positive Arbeit der josephini=
schen Kirchenverwaltung galten dem Pfarrklerus, während sie die
Bischöfe zu beugen, die Klostergeistlichkeit zurückzudrängen unter=
nahm.[6] Hier hätte nun das territoriale System sich erst recht be=
währen müssen, aber nachdem man bemerkt hatte, daß die Vermischung
mit dem Klerus in den benachbarten Reichsgebieten für den öster=
reichischen mancherlei pekuniäre Vorteile hatte, sah man sofort von
der Zertrennung der alten Ruralkapitel, ebenso wie von der Los=
lösung inkorporierter Pfarren im Ausland ab. Mit verdächtigem
Eifer war nur der Bischof von Augsburg auf das Projekt einge=
gangen, weil er hoffte, bei dieser Gelegenheit die geistlichen Güter in
seiner Markgrafschaft Burgau allein zu seiner Verfügung zu erhalten.
So übte die zerstückelte Lage der Vorlande wieder ihren Einfluß.
Um so mehr suchte Joseph alle Bestimmungen über Ausbildung der
Geistlichkeit, über Pfarrbesetzung und Besoldung einheitlich in der
ganzen Monarchie durchzuführen. Eines der zehn Generalseminare
der Monarchie wurde für Vorderösterreich in Freiburg eingerichtet
und dem Theologieprofessor Will, einem gefügigen Manne, der
später ebenso der kirchlichen Reaktion Dienste leistete, untergeben.
Wir sahen früher, wie schon unter Maria Theresia Riegger gefordert
hatte, daß der gesamte theologische Unterricht ausschließlich an die
Universität Freiburg verlegt würde und wie weitgehende Schritte nach
dieser Richtung erfolgt waren. So überraschte denn hier die neue Ein=
richtung niemand; am wenigsten den Bischof Rodt, der sogleich seinen
„allerdevotesten“ Dank aussprach und dem Kaiser „neben lautestem
Beifall einen unvergeßlichen Nachruhm“ zusicherte. Nur als Joseph
auch bei dieser Gelegenheit ein eigenes Priesterhaus für Vorderöster=
reich ohne Rücksicht auf die Diözeseneinteilung verlangte, vereinigten
sich die sämtlichen Bischöfe zum Protest. Mit den andern Vorschlägen
der Diözesentrennung fiel auch dieser schon Ende 1784; nur darauf
hatte die Regierung zu achten, daß kein Priester in Österreich zur
Seelsorge zugelassen würde, der seine Studien nicht im Generalsemi=
nar zurückgelegt habe. Die praktische Ausbildung im Priesterhaus
dauerte nach Beendigung dieser Studien noch 1—2 Jahre.

Viel schmerzlicher als dem Bischof von Konstanz war die Ein=
richtung den Prälaten. St. Blasiens Stolz war seine „Gelehrten=
akademie“; und wenigstens die historischen Fächer wurden hier ver=
ständnisvoller gepflegt als an der Universität Freiburg. Auch das

Konstanzer Priesterseminar war nur durch die Freigebigkeit und die Be=
mühungen des Abts Beuber von St. Blasien endlich 1737 zustande
gekommen. So gaben die Benediktinerklöster nur ungern diesen
Unterricht ihrer Mitglieder, die später Pfarrstellen übernehmen
sollten, auf; gaben sie doch damit zugleich auch eine uralte Tradition
ihres Ordens auf. Sie zögerten das erste Edikt (vom 25. 4. 1783)
auszuführen, so daß es Joseph gegen den Jahresschluß schärfer mit
dem Gebot, daß die Aufhebung sofort zu erfolgen habe, wiederholen
mußte. „Vier Jahre müßten sie ihre Religiosen auf ihre Kosten im
Generalseminar, zu dem sie auch noch besondere Beiträge zu leisten
hätten, unterhalten. So würden diese dem Klosterleben abwendig ge=
macht und noch dazu mit sonderbaren, bedenklichen Grundsätzen unter=
richtet," hieß es im Protest der Prälaten. Ihre Abneigung wußten
sie auf ihre Mitstände zu übertragen, die je länger je mehr gegen
alle Reformen Josephs Front machten.

Als eine Lockerung der Disziplin erklärten die Prälaten auch,
daß ihre Mönche veranlaßt wurden sich gleich anderen Kandidaten um
Pfarrstellen und Benefizien, selbst ohne Zustimmung ihrer Oberen zu
bewerben Mit der Einführung des „Konkurses" bei den Bewerbungen,
der bisher im Breisgau nicht üblich war, hatte Joseph nur eine Be=
stimmung des Tridentinum in Wirksamkeit gesetzt; hier aber trafen die
Absichten des Konzils auch mit denen der Aufklärungszeit einmal ganz
zusammen. Der Konkurs, der freie Wettbewerb der Kandidaten mit
seinen immer erneuten schriftlichen und mündlichen Prüfungen erschien
den Zeitgenossen als die ideale Methode, das Talent an seine rechte
Stelle zu bringen. Etwa gleichzeitig entwickelte Diderot der Bundes=
genossin des Kaisers, Katharina II. in seiner überschwenglichen Weise
den Plan, wie man bloß mit Hülfe des Konkurses Rußland eine ideal=
vollkommene Beamtenschaft vom Schreiber bis zum Großkanzler ver=
schaffen köune. Im Breisgau griffen diesmal die Bischöfe, die sich so
viel andere Vorteile entgehen sahen, mit Freuden nach diesem. Denn
ihnen stand es zu, über die Tauglichkeit der Bewerber zu befinden, wo=
durch das Gutdünken der Patrone, bei denen wie gewöhnlich andere Rück=
sichten als die der Seelsorge mitgesprochen hatten, eingeschränkt wurde.
Die Universität, die selber ausgedehnte Patronatsrechte auch über
den Breisgau hinaus zu üben hatte, war hingegen der Wortführer
der Unzufriedenen und bald schlossen sich ihr die Stände aus
gleichem Grunde an.

Das Generalseminar wie der Konkurs waren bestimmt, den Bildungsstand des Klerus zu heben. Das geschah auch noch be= besonders dadurch, daß man die Studenten der Theologie von der Sorge um ihren Unterhalt befreit hatte. „Der größte Teil der Stu= denten sei so arm", klagte der Rektor Will, „daß er sich bisher nicht einmal einen Schulautor, geschweige ein anderes gutes Buch habe kaufen können. Der größte Teil müsse seinen notdürftigen Unterhalt mit Hausinstruktionen, mit Musik in den Wirtshäusern oder bei Komödien und Bällen oder mit Schreiben sich verschaffen." Zu einer würdigeren Stellung des Pfarrers aber gehörte, daß er nicht mehr auf die Einkünfte aus Sporteln für geistliche Handlungen angewiesen sei. Hier aber zeigte es sich, daß in diesen Landschaften, wo von Ort zu Ort Volksbräuche wechseln, aber alle von jeher sich mit kirchlichem Brauch verschmolzen haben, eine einheitliche Ordnung gar nicht zu treffen war. Bei der Fassion ihrer Einkünfte zu der neuen Religions= fonds=Steuer hatten die Pfarrer auch diese Gefälle angegeben. So blieb es denn in diesem Punkte beim alten. Nur wenn eine einzelne Beschwerde zu Josephs Ohren kam, wurde sofort das schwere Geschütz der kaiserlichen Dekrete und des amtlichen Drucks auf die Bischöfe bei jeder Kleinigkeit aufgefahren.[7] So hatte im Jahre 1782 der Pfarrer von Schlatt bei Heitersheim recht unschicklicherweise einen Taglöhner verklagt, weil er ihm die Stolgebühr von 20 Kreuzer bei der Ablution, oder wie sie volkstümlich genannt wurde, dem Verwitzen, nicht mehr bei seinem letzten Kinde hatte entrichten wollen. Die „verletzte uralte Gewohnheit" wurde beschrieben: „Am Sonntag nach der Taufe wird das Kind von den Paten im höchsten Putz zur Messe getragen, der Pfarrer steckt ihm mit dem Finger einen Tropfen vom Ablutionswein in den Mund, dann gehen die Paten um den Altar zum Opfer". Das Heitersheimer Gericht hatte auch wirklich dem Pfarrer recht ge= geben, „da ja der Herr Visitator nie diesen uralten Gebrauch ab= gestellt". Als Religionssache ging aber die Appellation direkt an den Kaiser. In einem scharfen Dekret verbot Joseph sofort den ganzen Gebrauch und veranlaßte den Bischof von Basel durch ein Rund= schreiben das Gleiche in seiner Diözese zu tun. Wir lächeln vielleicht über diesen Aufwand kaiserlicher und bischöflicher Autorität, aber gerade dieser Zug in Josephs Charakter, daß der Kreuzer des Tagelöhners ihm eine ernste Sache war und er immer persönlich dreinfuhr, wo er diesen Kreuzer ihm zu Unrecht entzogen sah, hat den Zeitgenossen

imponiert und ist in der volkstümlichen Tradition fast allein haften
geblieben. Den grämlichen rationalistischen Feldzug gegen allen Volks=
brauch, wenn er etwas kostete, führte er übrigens nur weiter, wie er
unter seiner Mutter begonnen war. Denn schon 1769 hatte die
Kaiserin eine Umfrage über die Mißbräuche bei Hochzeiten und Kind=
taufen im Breisgau ergehen lassen, und schon damals hatte ihren Un=
willen besonders „die Kindesopferung mit Verwitzen" erregt. Denn
dieser Brauch halte doch nur die Gemeinde von der Andacht zur Messe
ab, um die geputzten Göttel zu sehen, und der Teller mit Torte und
Konfekt, der den Götteln alsdann geboten wurde, schien ihr auch für
Bauern ganz unziemlich. Unter Leopold ist im Jahre 1793 dann noch=
mals der Versuch gemacht worden, die Stolgebühren nach Vereinbarung
in den einzelnen Gemeinden auf deren Kosten abzulösen. Aber weder die
wenigen Pfarrer, die hierauf eingingen, waren auf die Dauer zufrieden,
noch die Gemeinden, die sich eine neue Last auferlegt sahen. Den
Ausschlag gab die psychologische Erwägung, daß die Gebühren in
einem Zeitpunkt entrichtet würden, „wo das Gemüt durch den Vor=
gang, der die Stolverrichtung erheischt, entweder in Fröhlichkeit oder
Trauer dergestalt gestimmt ist, daß es zum Unwillen oder zur Wider=
setzlichkeit gegen jenes, was bei solchen Ereignissen Herkommens ist,
gar keine Neigung hat". So ließ man denn schließlich alles
beim alten.

Das Urteil über Josephs Kirchenpolitik darf sich nicht nach diesen
Plänkeleien richten, ihnen steht ein großer Erfolg, die Neuordnung
der Pfarrbezirke, die zugleich eine große Vermehrung der Pfarrstellen
bedeutete, gegenüber.[8] Im Breisgau mit seinen zerstückelten Bezirken,
mit seinen Pfarrsprengeln, in denen der Schwarzwald=Bauer von
dem einsamen Hofe oft einen Weg von Meilen zur Kirche hatte, mit
seinen dürftig dotierten „Expositturen", mit seinen Nebenkirchen und
Kapellen, die wohl der Verehrung des Volkes, aber nur ausnahms=
weise der Seelsorge dienten, war eine solche Reform ebenso nötig
wie schwierig. Die vorderösterreichische Regierung griff sie denn
auch mit Eifer und einer den Zentralstellen nicht unverdächtigen
Freigebigkeit an, so daß die geistliche Hofkommission in Wien, die in
allen diesen Dingen sehr sorgfältig arbeitete, bedenklich wurde. Von
den 63 neuen Seelsorgerstellen, die sie den Vorlanden bewilligte,
fallen fast alle auf den Breisgau. Hier ging man auch einmal
schonender vor, als das kanonische Recht vorsah. Man wollte den

alten Pfarrern durch die Abtrennung ihre Einnahmen nicht kürzen und beließ ihnen die Stolgebühren, ohne daß sie etwas dafür leisteten. Mancherlei Anstände machte nur die Zuweisung und Verrechnung der Gebühren für die Messen, die in das Gehalt mit eingerechnet wurden. Dieses selber wurde für die Vorlande wegen der kostspieligeren Lebens= haltung um 50—100 fl. höher als in den übrigen Ländern festgesetzt. Der Pfarrer erhielt 500 fl., der Kaplan 350, der Kooperator 200 fl. Man rechnete sich aus, daß, wenn der Kooperator durchschnittlich 215 Freimessen à 20 kr. lese, ihm noch „eine anständige Besoldung bleibe, auch wenn er die Hälfte für Kost und Wohnung beim Pfarrer lasse". Nur den Klöstern überließ man es nach eigenem Gutdünken die Besoldung ihrer Mönche, die sie als Pfarrer aussetzten, zu ordnen. So regelte man auch die Kirchenbaupflicht sachgemäß auf Vorschlag der Freiburger Regierung, indem man sie nicht den Patronen, sondern den Zehntherren als den Leistungsfähigeren auferlegte.

Diese bedeutsamen Umänderungen waren insgesamt nur möglich, wenn die Mittel beschafft wurden; und dies wieder konnte doch nur geschehen, wenn man den einen nahm, was man den andern gab; denn der Staat war nicht bereit, aus seinem Steuerfonds Zuschüsse zu leisten. Die Einrichtung des „Religionsfonds", der diesen Aufgaben diente, ist die originellste unter den Schöpfungen der josephinischen Epoche. Vorgebildet war er durch den Jesuitenfonds Maria Theresias; aber dieser hatte seine besondere Verwendung gefunden und die guten Absichten zur Verbesserung der Pfarrabteilung, die schon die Kaiserin gehegt hatte, waren aus Mangel an Mitteln nicht zur Ausführung gekommen. Joseph fand die Mittel: Was die Weltgeistlichkeit be= durfte, sollten die Klöster hergeben.

Ganz gewiß waren die wissenschaftlichen Vertreter der neuen kirchenrechtlichen Schule den Klöstern überhaupt abgeneigt und hätten ihre vollständige Aufhebung gern gesehen, daß aber Joseph selber so weitgehende Absichten je gehabt hat, wenn sie ihm auch die öffentliche Meinung als Konsequenz seines Verhaltens oft untergeschoben hat, ist unwahrscheinlich. Zu einer so großen Umwandlung, zur Vernichtung eines Standes und von Körperschaften, die bisher die reichsten und mächtigsten gewesen waren, gehörten andere revolutionäre Voraus= setzungen als die einer Fürstenreform. Aber arbeiten, etwas leisten, zahlen sollten nach dem Willen des immer tätigen Kaisers auch die Mönche. Selbst die Bettelorden waren noch zur Aushülfe bei der Seelsorge zu ver=

wenden, wenn man nur ihre Zahl, wie er es tat, beschränkte, aber
ein bloß beschauliches Leben, wie es das Ideal früherer Zeiten ge=
wesen war, duldete er nicht. Als im Frühjahr 1782 (das Edikt wurde
16. März 1782 im Breisgau publiziert) die Klöster, die nur diesem
dienten, aufgehoben wurden, waren es in ganz Vorderösterreich 22;
von diesen entfielen aber auf den Breisgau nur vier mit etwas über
270000 fl. Vermögen. Schon im Jahre 1776 hatte Maria Theresia
an die Aufhebung des wohlhabendsten unter ihnen, der Karthause in
Freiburg, gedacht. Joseph versicherte die Bevölkerung in jenem Dekret,
daß er weit entfernt sei, das Mindeste zu fremdem, bloß weltlichem
Gebrauche zu verwenden; alles sollte einer Religions= und Pfarrkasse
gewidmet sein, aus der einstweilen noch zum Teil die Pensionen der
früheren Insassen jener Klöster gezahlt wurden, bis nach deren Ab=
sterben die sämtlichen Einkünfte wie schon jetzt die Überschüsse zur
Beförderung der Religion und der damit verbundenen Nächstenliebe
nach den Vorschlägen der Regierung verwendet werden sollten.[9]

Wenn auch die neue Pfarreinteilung sich noch auf Jahre verschob,
so war doch eines sofort ersichtlich, daß diese schmalen Einkünfte nicht
entfernt langen würden. Wie diese Klöster sollten nach einem Dekret
des nächsten Jahres auch alle Nebenkirchen und entbehrlichen Kapellen,
so weit sie nicht jetzt zu vollständigen Pfarreien erhoben wurden,
eingezogen werden. Da aber zeigte sich, daß gerade diese dem Land=
volke besonders ans Herz gewachsen waren, war es doch immer ein
besonderes Fest, wenn dort einmal im Jahre Gottesdienst gehalten
wurde. Auch war aus ihnen nicht viel zu holen, selbst wenn man,
wie es jetzt geschah, die Geräte und Orgeln zu Gelde machte und die
Gebäude zu Ställen oder auf den Abbruch verkaufte. Nachdem man
im Breisgau auf diese Weise ihrer sechzehn verwertet hatte, belief sich
der Gesamterlös auf ganze 3520 fl. 20 kr. Diesem nüchternen Kunst=
barbarentum hat der Unwille des Landvolks bald ein Ende gemacht.
Als auf allen Punkten sich die Krisis verschärfte, im Jahre 1789, er=
klärte sich die Freiburger Regierung außerstande, den Befehl auszu=
führen: das Volk sei, wie sich bei allen Gelegenheiten und besonders
in der Ortenau „werktätig" gezeigt habe, für seine Kirchen und Ka=
pellen ungemein eingenommen, der Geist der Unruhe sei noch nicht
bei ihm erstickt, die Beamten würden bei Aufnahme des Inventars
Gefahr laufen mißhandelt zu werden, ja ein allgemeiner Aufstand sei
zu befürchten. Dieser Art „Werktätigkeit" der Bauern hat also die

Landschaft des Breisgau und der Ortenau immerhin die Rettung eines wesentlichen Teiles ihrer Anmut zu danken.

Ganz anders leistungsfähig waren die Prälaten.[10] Für sie waren, wie wir schon im einzelnen; gesehen haben, alle diese Änderungen über Erziehung, Besoldung, Ruralkapitel, bischöfliche Visitation am lästigsten, nachdem sie sich so lange gewöhnt hatten, als Herren einer kleinen abgeschlossenen Welt dahin zu leben. Aber schließlich überließ man ihnen doch wie bisher ihre Pfarren und milderte jene Bedingungen größtenteils zu ihren Gunsten. Sie mußten sich sagen, daß sie in den Augen Josephs und der Seinen nur noch als Ergänzung der dünnen Reihen des Weltklerus ihre Existenzberechtigung besaßen. Daß sie aber zahlen mußten, war vom ersten Augenblick an klar. Der Fürstabt Gerbert hatte denn sofort seinen Vertrauten Ribbele nach Wien geschickt, der dort mit dem Baron Kresel, dem spiritus rector der josephinischen Kirchenpolitik, verhandelte. Die Befürchtungen der Prälaten gingen schon dahin, daß ihnen überhaupt ihre eigene Administration entzogen werden würde. Noch im Oktober 1782 zweifelten sie, welches System eingeschlagen werden würde, da es noch nicht in seiner vollkommenen Reife sei. Bald darauf konnte Gerbert seinen Kollegen erleichterten Herzens mitteilen, daß sich die betrübten Umstände ihrer Gotteshäuser zwar noch nicht gehoben, aber doch aufgeheitert hätten. Nur die Erträgnisse aus den österreichischen Besitzungen der Klöster sollten fatiert und aus ihnen entrichtet werden, was auf einen jeden als Quote für die Errichtung der neuen Pfarreien entfiele. Bis zur Fertigung der Fassionen sei deshalb seine eigene Reise nach Wien unschicklich; nachher aber werde er dort sofort in Person nötig sein. Als nun Gerbert im Jahre 1785 als Gesandter der Landstände in den Angelegenheiten der bäuerlichen Lasten in Wien verweilte, war die Sachlage noch immer nicht geklärt. Er ließ nach Hause schreiben: Er verschließe sich nicht den Vorteilen der neuen Pfarreinrichtung; die Leute jedoch, die damit betraut würden, suchten durch schroffen Eifer sich beim Kaiser einzuheben. — Dies ist freilich nur die altübliche Unterstellung bei allem unbequemen Amtseifer. Gerbert hoffte jedoch durchzusetzen, daß man „einen guten, verträglichen und leitsamen Mann“ nach dem Breisgau schicke; dann werde es bei richtiger Kalkulation der Pfarreinkünfte gelind abgehen und es keiner Aufhebung oder Abänderung der Klöster bedürfen. Man sieht: noch waren die Prälaten des schlimmsten Falles gewärtig.

Sie waren unzufrieden genug, als nun in den nächsten Jahren die Besteuerung, die von Anfang gedroht hatte, wirklich sich nahte. Die Zentralisation des Religionsfonds, den Joseph als eine einheitliche Kasse für die religiösen Bedürfnisse der ganzen Monarchie organisiert hatte, mußte zu ungunsten der Vorlande ausfallen. Es liegt im Wesen jedes Staates, in dem ein wirkliches Einheitsbewußtsein lebendig ist, daß die wohlhabenden Provinzen für die dürftigen mit aufkommen. Wenn aber selbst im heutigen Preußen die Durchführung dieses Grundsatzes, wenn nicht auf Schwierigkeiten stößt, so doch zu einem unablässigen Austausch provinzialer Freundlichkeiten führt, welche Widerstände mußte sie dann in Österreich finden, das Joseph soeben erst aus einem Länder-Konglomerate zu einem Einheitsstaate umzuschaffen unternahm, wo der Konflikt der einzelnen Kronlande der normale Daseinszustand geblieben ist! Jetzt sehen wir, warum die Freiburger Regierung so unvernünftig viele neue Pfarreien forderte, daß sie die geistliche Hofkommission auf ein Viertel zusammenstreichen mußte. Jedes Land stellte eben auf allgemeine Unkosten seine Überforderung. Aus dem Voranschlag für das Jahr 1788 ergab sich ein Defizit des Religionsfonds von 420000 fl. (ö. W.). Zur Deckung mußten jetzt außer dem Regularklerus auch die Weltgeistlichen zugezogen werden. Um für ihre unbemittelten Amtsbrüder aufzukommen, wurde ihnen eine Steuer von $7^1/_2 \%$ des Einkommens auferlegt.

Die Steuer überhaupt war jedoch wie üblich als Repartitionssteuer gedacht, was allerdings die Sicherheit des Eingangs gewährleistete, aber nach alter Weise unzählige Beschwerden über den Repartitionsmodus heraufbeschwor. Auf die Vorlande außer Vorarlberg waren 40330 fl. also beinahe der zehnte Teil der fehlenden Summe gelegt. Hieran sollten die Männerabteien 8000 fl., die Säkular- und Regulargeistlichkeit das übrige tragen. Auf die Klöster entfiel also durch die Zuziehung ihrer Geistlichen eine Doppelbesteuerung. Da die Vorlande nur etwa ein Fünfzigstel der Monarchie ausmachten, so war ihr Anteil mit $^1/_{21}$ der Gesamtsumme sehr hoch. Allerdings gab es auch nirgends im Verhältnis so viele und so reiche Prälaten, und um deren Besteuerung, nicht um die des Landes handelte es sich ja. Ihr Reichtum beruhte aber zum großen Teil auf ausländischen Einkünften, die zu österreichischen Zwecken zur Steuer beizuziehen politisch sehr bedenklich schien. Wenn sich nun die Prälaten der neun Männerklöster darauf beriefen, daß sie für ihr inländisches Vermögen zur Landschaftskaffe nur 6946 fl. Reichswährung steuerten, so war das freilich nicht sehr beweisend; denn wir wissen, welche Erleichterungen die Besteuerung der Dominikaleinkünfte, um die es sich dabei allein handelte, erfahren hatte. Man wird gut tun, eher die Einkünfte, die sich bei der wirk=lichen Einziehung im Jahre 1807 herausstellten, zum Vergleich heran=zuziehen.

Darauf aber konnten die Prälaten mit Recht hinweisen, daß ihnen durch die Agrarreform des Kaisers viele Gefälle beträchtlich geschmälert seien. Sie selber berechneten die Verminderung übrigens nur auf 2000—3000 fl. Die Vermehrung der Pfarreien, von der fast die Hälfte, 14 an Zahl, auf sie fiel, und die neuen Pfarrhäuser erhöhten ihre Unkosten weit beträchtlicher. Sie stellten eine glaubhafte Rechnung auf, die der Prüfung standhält, daß dieser Aufwand aus der neuen Pfarreinrichtung für die 9 Klöster einem Kapital von 207600 fl. ober einem Jahresaufwand von 8304 fl. gleichkomme.

Man beschloß im März 1788 eine eigene Gesandtschaft nach Wien zu schicken. Gerbert, alt und verstimmt, wie es immer bei denen der Fall ist, welche sich in ihrer Jugend auf der Höhe der Zeitaufgaben gefühlt haben und im Alter die Welt entgegengesetzte Wege verfolgen sehen, ging diesmal nicht. Der Rest seines Lebens gehörte Arbeiten, durch die er die freieren Ansichten seiner früheren Zeit revidierte. Statt seiner ging in Begleitung eines Juristen wieder Ribbele, der auf diesem Boden kein Neuling war, und die vorländische Regierung unterstützte seine Vorstellungen. Der kluge Benediktiner wußte sein Hauptargument geschickt zu wählen: „Von den inländischen Besitzungen seien die Klöster nicht imstande, den Beitrag abzuführen. Sollten aber die Einkünfte aus den Territorien der benachbarten Reichsfürsten auch mit zugezogen werden, so könnte diese Fürsten leicht die Lust anwandeln, sie auch mit einer Steuer zu belegen, und ihnen bliebe dann gar nichts übrig. In einer solchen Lage wünschten sie viel mehr, daß man sie vollends aufheben möchte, auf welchen Schritt die Nachbarn, besonders Baden=Durlach schon lange mit Ungeduld harrten.“ Joseph gab nach. Noch er selber hat in seinem letzten Lebensjahr nur die allgemeinen 7½% Steuer im Betrage von 9345 fl. 45 kr. Reichswährung von den Prälaten gefordert.

Ernst gemeint war im Mund der Äbte jenes scheinbar ver=zweifelnde Anerbieten, sie lieber gleich zu säkularisieren, natürlich nicht. Noch fühlte sich die stolze Korporation der Breisgauer Prälaten gesichert; nur das oberschwäbische Waldsee, das keinen solchen landständischen Rückhalt besaß, verfiel der Säkularisation. Aber auch bei einer der ältesten Breisgauer Abteien, bei dem fast ganz von hochbergischem Gebiet umschlossenen Tennenbach, das der energische Amtmann Schlosser arg bedrängte, lag die Gefahr vor, daß es sich nicht mehr erhalten könne.[11] Unter der Hand schoß der übrige Prälatenstand 1000 fl für es zusammen, von denen auch die Steuer bezahlt wurde. Nur die Äbtissin von Säckingen war nicht zu bewegen, etwas beizusteuern, da sie offenbar der Ansicht huldigte, daß adlige Damenstifter nur zu empfangen und nichts zu geben verpflichtet seien. Sie war auch stets mit ihren Beiträgen zur Prälaten-ständischen Kasse im Rückstand. Um die Religionsfonds-Steuer aber ist sie ebenso wie die Johanniter, die im Punkte des Adels und des Zahlens mit ihr auf gleichem Boden standen, wirklich glücklich herumgekommen — man weiß nicht recht wie. Joseph selber hat es sich wohl kaum klar gemacht, daß nur die bürgerlichen Klöster, die den Adel streng ausschloffen, zahlen mußten.

Im Hinblick auf die Konsequenzen im Ausland hatte der Kaiser jene Milderung getroffen; wieder einmal war dem Prälatenstand die Vermischung des Breisgaus mit Reichsland zustatten gekommen. Die Konsolidationspolitik Josephs scheiterte schon in diesen kleinen vorländischen Verhältnissen überall. So ist es auch bei den Verhandlungen gewesen, die am längsten und hartnäckigsten mit den Nachbarn geführt wurden, denen über den Umtausch oder den Verkauf der auswärtigen, kirchlichen Besitzungen und Gefälle. Hier haben die Klöster, für die das die eigentliche Lebensfrage war, sogar schon bei seinen Lebzeiten einen völligen Sieg davongetragen.

Wir sahen früher, wie ungeniert sich Österreich über die Bestimmungen des westfälischen Friedens und die Regeln des Reichshofrats bei der Einziehung der Jesuitengüter hinweggesetzt hatte. So unzweifelhaft auch die Einkünfte des reichen Dekanats Ottersweier zur Fundation des Badener Kollegs gehört hatten und den Badener Anstalten hätten gewidmet bleiben müssen, so kaltblütig behielt Österreich nicht nur die Einkünfte in der Ortenau, sondern beanspruchte auch noch die im Badener Gebiet gelegenen und übte „Reziprozität" für deren Vorenthaltung. Der kleine badische Markgraf hatte das Nachsehen. Da wurde es schon im Jahre 1776 bekannt, daß die Kaiserin die Karthause in Freiburg einziehen und ihre Einkünfte teils dem Münster

teils dem Spital zuweisen wolle.[12] Sie war auch in Baden begütert,
und nun beschloß sogleich der badische Geheimrat, daß diese Gefälle nicht
eher ausgeliefert werben sollten, als bis mit denen des Jesuitenkollegs
ein gleiches geschehen sei. Die österreichische Regierung wollte einen
Unterschied gemacht wissen, da es sich bei der Karthause gar nicht um
eine Einziehung zum Fiskus wie bei dem Vermögen der Jesuiten
handle; aber gerade dieser Vorwand war fadenscheinig, denn auch die
Jesuitengüter sollten ja ihrem ursprünglichen Zweck gewidmet bleiben.
Man verschob die Entscheidung bis zur wirklichen Aufhebung, und
diese wurde wie später die Aufhebung des Dominikanerinnenklosters
in Freiburg gerade durch diese Aussicht, daß auch Baden zugreifen
könne, einstweilen noch hintangehalten.

Da eröffnete der Regierungsantritt Josephs weit größere Aus=
sichten. Sollte es bei seiner offenkundigen Konsolidationspolitik nicht
möglich sein, die Bezüge der österreichischen katholischen und der ba=
dischen evangelischen Geistlichkeit, die jede im Nachbarlande besaß,
umzutauschen und den Überschuß abzukaufen? Durch den Schopf=
heimer Vertrag von 1629 hatten sich die beiden Staaten diese wechsel=
seitigen Gefälle, deren Österreich weit mehr in Baden, als Baden in
Österreich besaß, dauernd zugesichert. Aber sie wurden begreiflicher=
weise ungern gezahlt, von der einen wie von der andern Seite klagte
man über Versäumnis und bösen Willen. Allen Beteiligten schien es
eine patriotische und konfessionelle Pflicht, möglichst viel von den Be=
zügen im Lande zu behalten, die Auslieferung möglichst lässig zu ge=
stalten. An Prozessen fehlte es nicht; sie waren beim Reichskammer=
gericht gut aufgehoben und kamen niemals zur Entscheidung. In
Baden aber knüpfte man an den Umtausch auch Hoffnungen für eine
Reform der Kirchenverwaltung im eigenen Lande. Sie konnte den
Anlaß geben, daß auch die heimischen Pfründen eingezogen und alle
Geistlichen allein vom Staate besoldet würden. „Damit werde der
ewige Wechsel und das Versetzen, die jetzt nötig seien, um allmäh=
lich die Pfarrer auf einträglichere Stellen zu bringen, aufhören und
das Predigtamt einen wahren, dauerhaften Nutzen stiften", schrieb
Schlosser, der allzeit eifrige.

Längst war dem ehrgeizigen Manne, so selbstherrlich er in der
Markgrafschaft Hochberg schalten konnte, sein Wirkungskreis zu enge
geworden; er sehnte sich danach, in der „großen Politik" des kleinen
Landes mitzuspielen. Sein Freund Edelsheim und der alte, steife

Präsident Graf Hahn, dem der unruhige als Literat wie als Beamter gleich anspruchsvolle Schlosser sonst recht unbequem war, räumten ihm gern die Führung dieser Unterhandlungen ein. Gelangen sie, so war Baden einer lästigen Fessel ledig, scheiterten sie, so war wenigstens nichts verloren. Schlosser entwickelte 1782 in Karlsruhe seinen Plan: Alles komme darauf an, dem Wiener Hof auf eine geschickte Art zu insinuieren, daß, wenn ein Regent seine übermächtige Geistlichkeit in Schranken halten wolle, er sehr zweckmäßig handle, wenn er ihre Fonds in seine Hände zu bekommen suche, das könne jetzt leicht geschehen. Seine Verhandlungen mit der Freiburger Regierung rückten natürlich nicht vorwärts. Hätte sie auch die Befugnis gehabt, selbständig vorzugehen, so hätte sie es zu tun vermieden. Schlosser bemerkt, „daß die Freiburger nur maschinenmäßig in der Sache handelten und alles auf Inspiration von Wien verrichteten, daß sie aber von Wien auf ihre Anfrage nur die schlichte Weisung erhalten hätten: sie sollten nur mit der Aufhebung der Klöster fortfahren und wegen der auswärtigen Gefälle nicht besorgt sein". Er schloß daraus, daß man nur in Wien selber verhandeln könne; fahre der Kaiser so fort, Klöster aufzuheben, so müßten für ihn die Grundsätze des Reichshofrats, die Baden immer behauptet habe und die allein dem Recht entsprächen, die vorteilhaftesten sein; dann müsse auch Baden zu den vorenthaltenen Gütern der Jesuiten gelangen. Jetzt freilich ahme alles Österreich nach; Fürstenberg habe schleunigst die Einkünfte des Villinger Klosters in seinem Gebiet eingezogen.

Diese juristische Logik war jedoch nicht die des Kaisers. In der Jesuitensache gab er nicht um Haaresbreite nach, aber in der Angelegenheit der aufgehobenen Klöster ließ er zugleich der Freiburger Regierung und dem badischen Hof mitteilen: Er spreche das Auslandsvermögen derselben an, weil das Ganze wiederum zum Besten der Religion für eine Religions- und Pfarrkasse werde verwendet werden. Das war nun freilich den badischen Grundsätzen gemäß, und sobald man von der Einrichtung des Religionsfonds genauere Nachricht bekommen, beschloß der Geheime Rat: Da sich Baden unter diesen Umständen keine Hoffnung auf unentgeltliche Akquisition machen könne, möge man sehen, die fremden Revenuen um einen billigen Preis zu bekommen. Schlosser hatte vorgestellt: Sobald man nicht kaufen, sondern einziehen wolle, so sei zu besorgen, daß die Gönner der Klöster ihre Remonstrationen gerade hierauf stützen und

alles vereiteln würden. Das Land von klösterlichen und stiftischen
Revenuen frei zu sehen, sei ein Gedanke, der jedem, welcher das Ver=
hältnis kenne, in dem zumal die Oberlande gegen die katholische
Klerisei stünden, zu allen Zeiten groß und wichtig vorkommen müsse.
Noch vor wenigen Jahren habe man ihn unter die frommen, politi=
schen Wünsche und süßen, politischen Träume rechnen müssen, deren
Erfüllung zu erleben vielleicht unsere späten Nachkommen bei einer
im deutschen Reich erfolgenden Hauptrevolution noch vorbehalten sein
dürfte. Jetzt ermögliche Josephs Vorgehen seine Verwirklichung. Das
große Kapital dürfe nicht schrecken. Baden bekomme mit Leichtigkeit
ein paar 100 000 fl zu 4 % geliehen. Die Gemeinden würden sich
beeilen die Gülten abzulösen, und man bedürfe nichts weiter als einen
gut arbeitenden Amortisationsfonds.

So verbanden sich Gedanken verschiedenster Art in dem Kopf des
ideenreichen und praktischen Mannes, den dennoch sein Eigensinn und
seine Unverträglichkeit trotz eines reichen Gemütes und eines lauteren
Charakters in allen Verhältnissen des Lebens haben scheitern lassen: weit=
tragende politische, wirtschaftliche, kirchliche Reformen sollten zugleich
ins Werk gesetzt werden. Rastlos arbeitete er an Denkschriften und In=
struktionen als trefflicher Jurist, der er war, und als Diplomat, der
er werden wollte. Die kirchenrechtlichen Deduktionen sollten dazu
dienen, Österreich auf seinen eigenen Grundsätzen festzunageln und
den Kaiser dadurch zum Verkauf zu bestimmen, als der besten Art
aus diesen Händeln zu kommen; die diplomatischen Verhandlungen,
um dem Kaiser klar zu machen, „daß durch die Realisierung solcher
Kapitalien seine Absicht, die katholische Geistlichkeit dem Staat nütz=
licher zu machen erreicht werde, da ihm die Gelegenheit geboten werde,
sich sicherer und fester in den Besitz der geistlichen Güter zu setzen
und darüber solche Anstalten zu machen, daß er ihrer ganz Meister
werde. Kein Zeitpunkt sei besser, wo ein geschickter Negoziator mehr
Mißtrauen gegen die Pfaffen machen könnte als der jetzige, und der
Kaiser selbst sehe alles als Profit an!" Übrigens zeigte es sich
schon damals, wie später in seinem diplomatischen Verhalten während
der Revolution, daß er bei kühnen Plänen zaghaft in seinen Schritten
war: „Was vermögen wir gegen Österreich und wie lange würde
man es uns gedenken, wenn wir des Kaisers Lieblingsprojekt hindern
und fruchtlos machen würden", ruft er aus.

Unter dem ebenso geschickten wie vorsichtigen Negoziator verstand

Schlosser natürlich sich selbst. Er, der so viele Fürsten seine Freunde nannte, der sich schmeichelte auf Friedrich Wilhelm II. einen bestimmenden Einfluß zu üben, brannte darauf, Joseph persönlich gegenüberzutreten. Mit den gewöhnlichen Residenten — sie besorgten schlecht und recht die Angelegenheiten meist mehrerer kleiner Staaten zugleich — sei es nicht getan. Die jetzige Situation erfordere in Wien einen Mann, der dem Kaiser selber nahen dürfe: „denn einen Monarchen, der selbst regiert oder der selbst zu regieren Prätensionen macht, muß man, so viel möglich ist, alles selbst finden machen, was man von ihm gefunden haben will, und das kann anders nicht geschehen als in den unbeobachteten Augenblicken des Umgangs".

So wurde denn (2. 12. 1782) im Geheimen Rat beschlossen, Schlosser in außerordentlicher Sendung nach Wien zu schicken. Das Geheimnis sollte streng gewahrt bleiben, auch dem badischen Residenten Stockmaier die Reise als eine private und zufällige hingestellt, er aber dennoch angewiesen werden, Schlosser vollständig zu informieren. Die größte Eile tue not, damit nicht durch die Abreise des Kaisers eine Hauptidee des Planes vereitelt werde. Außerdem beantragte der der Höfe kundige Edelsheim für seinen Freund die Verleihung des „Geheimen Hofrats", um mit mehrerem Anstand in Wien verhandeln zu können; denn vor einem bloßen „Landschreiber" werde man dort nicht die Schlossers Person gebührende Achtung haben. Karl Friedrich, der die Sprünge nicht liebte, auch nicht bei den Titeln, fand, daß der bloße „Hofrat" zu diesem Zwecke ausreiche.

Man ließ Schlosser so viel freie Hand, daß er sogar seine eigene Instruktion entwarf, die dann im Geheimen Rat ausgefertigt wurde. Sie zeigt also wenigstens, wie sein Feldzugsplan war: den Personen, die Josephs Vertrauen in den kirchlichen Angelegenheiten besäßen, sollte er klar machen, daß der Kaiser in den Vorlanden nie auf den Grund kommen könne, was die Klöster haben und brauchen, so lange sie so viel auswärtige Gefälle haben, daß auch jede Reduktion der Klöster ohne dies wenig profitabel sei. „Alsdann solle er dahin trachten, unter einem Privatvorwande Audienz beim Kaiser zu erlangen, und wenn dessen Vertraute vorher gestimmt sind, es so einleiten, daß die Verkaufssache als ein Gedanke von diesen dem Kaiser einleuchtend gemacht und der Vertrauten Privat-Vorteil quoquo modo mit der Sache selbst verknüpft werde" — sicherlich eine falsche Berechnung bei einem so mißtrauischen Fürsten wie Joseph. Namentlich solle er dem Kaiser

perſönlich bemerklich machen, daß die Naturallieferungen an Gülten und
Zehnten zugleich ſeine und die badiſchen Bauern, ſeine und die badiſchen
Märkte verdürben, weil die ſo viel konſumierenden geiſtlichen Körper-
ſchaften noch durch ihre Verkäufe die Vorkäufer begünſtigten und den
Bauern überall im Wege ſtünden. — Schloſſer mußte ſehr wohl, daß
dieſes Argument bei dem pfaffenſeindlichen und bauernfreundlichen
Kaiſer am meiſten verfange. — Er ſolle weiter verhindern, daß die
Behandlung der Angelegenheit der Breisgauer Regierung überwieſen
werde und er ſolle den Beauftragten zu präokkupieren ſuchen. Bei den
ſachlichen Verhandlungen ſolle er natürlich das Objekt möglichſt billig
zu bekommen ſuchen, namentlich mit einem guten Rabatt bei Bar-
zahlung.

Der behutſame Karl Friedrich wollte die Reiſe noch verzögern,
bis eine genaue Berechnung als Unterlage hergeſtellt ſei; aber Schloſſer
drängte: „es liege Gefahr im Verzuge, alles komme darauf an, daß
der ganze Gedanke dem Kaiſer von ſeinen Leuten vorgebracht werde,
daß dieſe ſich teils ein Verdienſt daraus machen, teils dabei ſo em-
barquieren, daß ſie nicht wohl mehr zurück könnten". Die Privat-
angelegenheit, die den Vorwand zur Reiſe hergab, war leicht gefunden.
In Wien aber hatte Schloſſer ſofort die Enttäuſchung, daß Joſeph
abgereiſt war; im Verkehr mit den Männern des aufgeklärten Re-
gimes aber ſah er ſich in einen eigentümlichen Zwieſpalt verſetzt. Als
Schriftſteller ein entſchiedener Gegner der Aufklärung im landläufigen
Sinne und einer der wichtigſten Vorläufer der Romantik, fühlte er
ſich von dem rationaliſtiſchen Treiben in Wien abgeſtoßen und in
ſeinen anſchaulichen, bei den Freunden verbreiteten Privatbriefen ſchil-
derte er die Eindrücke in ſatiriſcher Weiſe. Als Gelegenheitsdiplomat
aber, der zugleich durch literariſche Beziehungen Anknüpfung ſuchte, begab
er ſich mit denſelben Aufklärern in freundſchaftliche «liaisons». So
mit Kreſel, der ihm mit Recht als die Hauptperſon, die in den kirchlichen Angelegenheiten allein gebraucht werde, erſchien. Ihm hatte
er ſeinen Plan „akzeptabel gemacht" und in der Tat hat ſich Kreſel
weiter bemüht, ihn durchzuführen. Auch die weiteren Unterhandlungen ſind immer zunächſt durch ihn ſo geführt worden, daß er zugleich um Rat gefragt wurde, ob die Anträge opportun ſeien oder
nicht; denn — wie ſpäter Schloſſer ſich ausdrückt, „ohne Kreſel vorher
befragt zu haben, würde es gewagt ſein einen Schritt zu tun, der,
wenn er nicht zum Ziele führt, nachher nicht zurückzuziehen iſt". Jedoch

entschuldigte sich Kresel, daß er in keine persönliche Korrespondenz mit Schloſſer eintrete: es würde nur seinen Feinden Gelegenheit geben, ihm und der Sache zu schaden.

In der Sache selber mußte sich Schloſſer sagen, daß er zu spät oder auch zu früh gekommen sei. Die Stimmung gegen die Klöſter war schon wieder milder. Der Plan, ihr Vermögen ganz in Staats= verwaltung zu nehmen, war schon aufgegeben und die bloße Besteue= rung zum Religionsfonds angenommen. Schloſſer bemühte sich seinen neuen Freunden klar zu machen, daß dies ein halber Schritt sei, daß damit doch die Religionskaſſe von den Klöſtern abhängig bleibe, daß man doch wieder auf den andern Weg, die geiſtlichen Güter in die Hand zu bekommen, werde zurückkehren müſſen, und daß der Verkauf der Auslandsgüter dem Religionsfonds eine ganz andere sicherere Grundlage geben würde. Kaunitz selber, deſſen Zuſtimmung denn doch noch wichtiger war als die Kresels, hatte sich nach seiner Weiſe zurückgehalten, aber Schloſſer die eigentümliche Ehrung erwieſen, ihn in seine Reitbahn einzuladen, wo der alte Sonderling in jugendlichem Aufzuge ihm seine Reitkünſte produzierte.

Das Projekt mußte für Joseph in der Tat viel Anziehendes haben. Noch im Frühling des Jahres 1782 hatte es dem Beauf= tragten der Prälaten geſchienen, daß dieſe Gefahr bereits vorüberge= gangen sei, aber 1784 fand Edelsheim, als er Gerbert besuchte, daß das Gerücht von einem bevorſtehenden Verkaufe alle Klöſter schüchtern gemacht habe; und es war doch etwas seltſam, wenn der optimiſtiſche Staatsmann zugleich von dem berühmten Fürſtabt schrieb: „Er lebt wie alle seine Kollegen unter einem schmerzhaften Druck und hat daher für die, für welche er sich nicht fürchtet, viel herzige Liebe". In Wahrheit fürchteten die Prälaten den proteſtantiſchen Markgrafen, der sie auskaufen wollte, doch noch mehr als den katholiſchen Kaiſer, mit dem man sich noch immer abgefunden hatte. Endlich erschien nach langem Warten ein Handschreiben von Kaunitz vom 12. Oktober 1785, durch das der Kaiſer seine Zuſtimmung zum Verkauf der den geiſtlichen Gemeinden gehörenden Realitäten gegen ihren wahren Wert und teilweise gegen Aufrechnung der im Öſterreichiſchen gelegenen badiſchen geiſtlichen Gefälle aussprach. Der Fuß, nach dem die Kapi= taliſierung der Einkünfte nach zehnjährigem Durchſchnitt erfolgen ſollte, wurde in weiteren Verhandlungen auf 4% feſtgeſetzt. Es ergab sich, daß 21 Klöſter und Stiftungen jährlich für 67000 fl. Frucht aus

Baden bezögen, daß ein Kapital von 1 675 000 fl. zum Ankauf nötig sein würde. Es war für den kleinen badischen Haushalt eine stattliche Summe, und Schulden zu machen um Güter zu kaufen, paßte schlecht zu des behutsamen Karl Friedrich Finanzpolitik. Auch fand das ganze Projekt im Geheimen Rate lebhafte Opposition. Verstimmt über Schlossers selbstherrliches Verfahren, hatte sich der Referent, der ebenso pflichteifrige wie empfindliche Seubert, zurückgezogen und pathetisch an den aufmerksamen Leser dieser Akten in einer späteren Generation appelliert. Allein der Vorteil schien doch die Bedenken zu überwiegen. Schlosser, der erst von Emmendingen aus, dann in Karlsruhe die Leitung der Angelegenheit behielt, erbot sich auch, zu billigem Zinsfuß das Anlehen bei dem Frankfurter Bankhaus Bethmann zu vermitteln.

Dazu kam es nun nicht. Der Schrecken unter den Prälaten war groß; Schuttern rief wie gewöhnlich die Hülfe seines Lehnsherrn, des Bischofs von Bamberg, an; eine gemeinsame Versammlung in St. Peter stellte die Beschwerden zusammen. Man suchte bei Joseph auch volkswirtschaftliche Bedenken zu erwecken: Die Badener, im Besitz ihrer eigenen Gefälle, würden die Oberhand auf dem Getreidemarkt, namentlich im Export nach der Schweiz erhalten, wogegen Baden geltend machte: Ganz im Gegenteil werde sich die Lage des Getreidemarktes bessern. Es entspann sich ein wahres Wettlaufen der Agenten vor den Türen und bei den Soupers Kresels und Kobenzls. Als Gefahr im Verzuge war, reisten im März 1786 Gerbert und Ribbele in großer Eile nach Wien. Der badische Agent sah mit Sorge, wie angelegentlich sich Kaunitz mit Gerbert unterhielt, wie dieser befriedigt schied. In der Tat brachte Kaunitz, der die inneren kirchlichen Verhältnisse, wie wir schon früher bemerkten, immer vorwiegend unter dem Gesichtspunkt der äußeren Politik betrachtete, den politischen Bedenken Gerberts volles Verständnis entgegen. In Karlsruhe resignierte man sich sofort dahin, St. Blasien um Gerberts persönlicher Stellung und weil es zugleich Reichsstand war, aus dem Spiel zu lassen.

Neue Aussichten schienen sich zu eröffnen, als Joseph Blank als Vizepräsidenten nach Freiburg setzte, um die widerstrebenden Freiburger vorwärts zu treiben, und als sich dieser vor dem Antritt seine Instruktionen bei Joseph, als dessen Vertrauter er galt, holte. Nach seiner Weise begann Schlosser eine halb geschäftliche, halb freundschaft=

liche Korrespondenz mit ihm, in der er ihm vor allem klar zu machen
suchte, daß die Klöster alle Verhandlungen seit langer Zeit durch=
kreuzt hätten, um ihre Thrannei über die Bauern aufrechtzuerhalten.
An Blanks guten Willen, die Absichten des Kaisers durchzusetzen,
obwohl die Hofkanzlei alles, was er tue, gern durchkreuze, sei ebenso=
wenig zu zweifeln als an dem bösen des ganzen übrigen vorder=
österreichischen Personales. Auf Joseph selber glaubte man sich verlassen
zu können wie auf Kresel, der, wie Edelsheim schreibt, die Willens=
meinung des Kaisers stets in echtem Sinne ausführt.

Unterdessen aber häuften sich die Schwierigkeiten aller Art und
der Mann, auf dem alles beruhte, der alles allein machen wollte und
der alle Stürme über Österreich heraufbeschworen hatte, wankte dem
Grabe zu. Krampfhaft hielt Josephs Hand die Zügel fest, aber schon
fand der Befehl des Sterbenden nur noch schlechtes Gehör, wo jeder
sich bereits fragte, was für Bahnen der Nachfolger einschlagen werde.
In den nüchternen Berichten des badischen Residenten Mühl spie=
gelt sich die Lage der Dinge getreu wieder. Er schilderte sie im
Jaunar 1790: „In der Sache der Klöster treten die oberste Hof=
kanzlei, die Hofkammer, die geistliche Kommission und die Staats=
kanzlei ein. Von allen diesen Stellen sei das praktische Verhältnis
sowohl gegen den Souverän als unter sich, ja selbst in jedem eigenen
gremio noch in keiner festen Bestimmtheit; vielmehr habe dasselbe von
einem Zeitpunkt zum andern in einer solchen Abwechslung zu schwanken
wenigstens geschienen, daß in Sachen, die nicht äußerst drängend
waren, und worauf keine Gefahr im Verzug haftete, eine Ne=
gotiation in Betrieb zu nehmen annoch höchst schlüpfrig sei." Nicht
einmal die geforderten Listen habe die vorderösterreichische Regierung
eingesandt; die Unruhen, die in den Vorlanden wie in den Nieder=
lauben entständen, gäben den Vorwand, und in Wien habe man die
Maxime angenommen, daß man jetzt vorerst alles unberührt lassen
müsse, was Neuerung geheißen werden könne, besonders wenn es das
Volk ungleich ansehe, oder wenn es ihm unter diesem Gesichtspunkte von
der Geistlichkeit vorgespiegelt werden möchte. Vor allem findet Mühl
überall eine gewisse Zurückhaltung, weil eine Regierungsveränderung
immer wahrscheinlicher werde und man deshalb dem neuen Regenten
nicht vorgreifen oder sich selber vorzeitig für dieses oder jenes System
festlegen wolle. Schließlich sei es auch eine natürliche Rücksicht auf
den Kranken, daß sich bei den vielen jetzigen ihm schmerzlich fallenden

Ereignissen nicht allezeit ein schicklicher oder dienlicher Zeitpunkt zu
Vorträgen im Sinne kaiserlicher Majestät finden lassen.

Die Prälaten hatten längst gewonnenes Spiel. Schon hatte
Ribbeles diplomatische Geschicklichkeit die Freilassung der auswärtigen
Einkünfte von der Aushülfssteuer durchgesetzt. Auch die schwäbischen
Abteien, denen Joseph bereits den Verkauf ihrer auswärtigen Güter
auferlegt hatte, hatten ihn, nachdem der Bischof von Würzburg pro=
testiert hatte, vermieden, und der französische Agent O' Kelly schrieb
ganz richtig seinem Minister, daß die Zerstreuung der Klostereinkünfte
in den verschiedenen Territorien einer der wirksamsten Zügel des
Reformeifers sei. Die Verhandlungen wurden von Baden zum Scheine
noch bis in den Oktober 1790 fortgesetzt. Man wählte, um sie ab=
zubrechen, in Wien das bequeme Mittel, immer höhere Forderungen
zu stellen, die der heißblütige Schlosser in seinen Relationen mit
Glossen wie „Frechheit“ oder „solche Impudenz ist nur in Freiburg
möglich“ versah. Unterdessen hatten sich auch seine Ansichten gewan=
delt. Seltsam genug hatte er seine Abneigung gegen das josephini=
sche System gerade in seinem Briefwechsel mit Gerbert, den er als
den Restaurator historischer Auffassung verehrte, niedergelegt und hatte
in dessen Klagen über ein System, das die tönernen Füße des Kolosses
Daniels herstelle, mit eingestimmt. Welche Widersprüche vertrugen sich
nicht in diesem Kopfe! Jetzt, als die Angst vor der Revolution allen
großen und kleinen Staatsmännern in die Glieder fuhr, gab er in
seinem Schlußbericht, der diese Episode badisch=österreichischer Politik
beendete, selber zu: daß sowohl die Freiburger Regierung, als auch
das Wiener Ministerium unter den jetzigen Umständen höchst unklug
haubeln würden, wenn sie die Geistlichkeit und durch sie das Volk
aufbringen würden.

Die Gefahr, ihre besten Einkünfte zu verlieren, hatte die Prä=
laten zu entschiedenem Widerstand aufgerufen; das Volk aber war viel
tiefer durch jene Maßregeln erregt, die seine religiösen Auffassungen
und Lebensgewohnheiten berührten. Wir sahen, welchen Sturm der
Versuch erregte, die Nebenkirchen einzuziehen. Die Wallfahrten, gegen
deren Mißbräuche schon seine Mutter aufgetreten war, wurden jetzt
von Joseph im Jahre 1785, die Fronleichnamsprozession und allge=
meine Bittgänge ausgenommen, gänzlich verboten. Hier hatte er ein=
mal sehr gern und rasch den Beschwerden Badens Folge geleistet. Die
protestantischen Nachbarn empfanden es nämlich als eine unleidliche

Verletzung der Territorialrechte, daß die katholischen Bauern des Breis=
gaus mit fliegenden Fahnen, aufgerichteten Kreuzen, Singen und
lautem Gebet durch ihr Gebiet zogen, und so gegen den westfälischen
Frieden ein öffentliches Religions=Exercitium im Baden=Durlachischen
einführten. Noch tiefer ging die Erbitterung wegen der Aufhebung
der Bruderschaften. Wir sahen, wie tief sie in die Kreditverhältnisse
des Landes einschnitt; sie tat es nicht weniger in die religiösen. Denn
in jeder Pfarre befand sich mindestens eine Bruderschaft, Freiburg
besaß allein 19, Villingen 16. Wie überall in katholischen
Ländern waren diese religiösen Genossenschaften von jeher mit dem
gewerblichen und sozialen Leben des Kleinbürgertums eng ver=
wachsen.

Alles dieses aber trat zurück gegen die Erregung, die gleich Josephs
erste Reform, das Toleranzedikt erzeugt hatte.[13] Und gerade sie erschien
Joseph als seine heiligste Pflicht; mit ihr hat er für Österreich die neue
Zeit heraufgeführt. Denn die großen Entscheidungen der Geschichte
fallen doch immer im Reiche der Ideen, auch wenn der nächste Erfolg
noch gering erscheint. Wo gäbe es in einem fürstlichen Briefwechsel ein
gleich anziehendes, dramatisch bewegtes Bild wie jener Kampf um die
Toleranz zwischen Joseph und seiner Mutter, ein Kampf zwischen
zwei Menschen, die sich lieben, die sogar einander zu verstehen suchen
und die beide mit gleichem Ernst ihren Standpunkt für den durch reli=
giöse Pflicht und Staatsklugheit gebotenen ansehen? Von Freiburg
aus, vielleicht unter den verstärkten Eindrücken, die ihm der Breisgau
bot, hatte einst der Kaiser den entscheidenden Brief geschrieben, aus
dem Maria Theresia mit Bekümmernis die Kluft zwischen ihren An=
schauungen und denen ihres Sohnes erkannte. Mehr als einmal
war er seitdem bereit gewesen, von allen Regierungsgeschäften zurück=
zutreten, weil er zu Maßregeln, die seinem Grundsatz widersprachen,
nicht stillschweigen konnte. Sobald er die Hände frei hatte, erfolgte
das Toleranzedikt vom 1. Oktober 1783, durch das die bürgerliche
Gleichheit der christlichen Konfessionen ausgesprochen und den Nicht=
katholiken die private Religionsübung eingeräumt wurde. Diese unter=
schied sich von der öffentlichen Religionsübung, welche den Katholiken
vorbehalten blieb, nur durch Äußerlichkeiten; die Bethäuser sollten
keine Türme, Glocken und Straßeneingänge haben; nur für die Misch=
ehen war, wenn der Vater katholisch war, seine Religion die sämtlicher
Kinder, während diese sonst dem Geschlecht folgte.

Die Vorlande, insbesondere der Breisgau, waren unvermischt
katholisch. In der offiziellen Statistik vom Jahre 1740 waren nur
6 eingewanderte Evangelische in einem Dorfe dicht bei Basel gezählt;
es wurde bemerkt, daß in den beiden Dörfern Brötzingen und Oberschaff=
hausen, die unter der Mitherrschaft Badens standen, die katholischen
österreichischen Untertanen und die evangelischen badischen streng von=
einander gesondert waren. In einem Einheitstaat wird die konfessio=
nelle Mischung notwendig zur wechselseitigen Toleranz führen, wo diese
dagegen mit der Gemengelage der Territorien zusammenfällt, wird
die Glaubensfeindschaft durch die politischen Reibereien und nachbar=
lichen Gehässigkeiten nur noch vermehrt. Mit höchster Unlust nahm die
Bevölkerung das Edikt auf. Noch mehr als in den andern Pro=
vinzen ging Joseph in den nächsten beiden Jahren hier mit der Durch=
führung, die doch zunächst nur auf dem Papiere blieb, hastig vor.
Ergänzungen, Vermahnungen, Befürchtungen, daß man seinen Ab=
sichten nicht nachkomme, folgten einander. Der Sicherheit wegen war
das Edikt selber für den Breisgau mit einer empfehlenden Bestätigung
des Erzbischofs von Straßburg, jenes bekannten Kardinal Rohan, der
allerdings guten Grund hatte, dem Bruder Marie Antoinettes eine
Gefälligkeit zu erweisen, versehen. Trotzdem mußte der Kaiser im
folgenden Jahr (1. 6. 1782) einen Protest gegen die ungereimten Aus=
streuungen, als ob das Toleranzedikt eine Aufforderung zum Abfall
· von der katholischen Kirche sei, kundgeben.

Mißmutig veröffentlichten die vorländische Regierung und der
landständische Konseß diese kaiserlichen Verordnungen. Die Einleitung,
mit der sie dies taten, zeigt so recht, wie unnütz ihnen das alles vor=
kam: „Wir hoffen zwar so wenig, als gewiß wir es nicht wünschen,
daß es in unserm durchaus noch rein katholischen Vaterland jemals
an die Notwendigkeit kommen werde, dergleichen Maßregeln zu er=
greifen", wozu sie noch den Schluß fügten: „Hiernach ist sich also bei
allenfalls vorkommenden, in unserm rein katholischen Breisgau aber
noch sehr entfernt scheinenden Fällen genauest zu achten". Wenn man
in der gesamten Monarchie beobachtet haben will, daß sich durch das
Toleranzedikt in kurzer Zeit die Zahl der Protestanten verdoppelt
habe, so waren wie Tyrol sicherlich auch die Vorlande hiervon aus=
genommen. Nur eine größere Verschiebung hat stattgefunden durch
die Einwanderung der Genfer Uhrmacherkolonie in Konstanz; allein
sie machte sich hier nicht heimisch und zog bald weiter. Erst im

Jahre 1787 wurde dort der erste, einstweilen einzige protestantische Bürger aufgenommen. Als im Jahre darauf Dalberg, er vor allem ein Kind der neuen Zeit, seinen Einzug als Koadjutor in Konstanz hielt, beglückwünschte er jedoch die Stadt wegen des friedlichen Zusammenwohnens der Konfessionen.

Die Breisgauer teilten diese Ansicht ihres neuen, aufgeklärten Seelenhirten recht wenig. Das gesamte Land erhob nach Josephs Tode in der großen Beschwerdeschrift bei seinem Nachfolger Leopold II. Klage gegen die aufgedrängte Toleranz. „Der Breisgau", so führten die Stände aus, „sei zur Zeit der Religionsunruhen durch den mächtigen Schutz des Erzhauses vor den Irrtümern bewahrt geblieben, die in den angrenzenden Ländern eingerissen seien; er habe das Glück gehabt, seither ohne die mindeste Abänderung rein katholisch zu verbleiben. So zähle man auch im ganzen Breisgau nicht nur keinen Ort, sondern auch mit alleiniger Ausnahme eines erst im Jahre 1788 der Stadt Freiburg wider ihren Willen aufgedrungenen lutherischen Friseurs keinen Bürger in den Städten, noch einen Untertan in den Dörfern, der nicht katholisch wäre." — Sie hätten noch den ersten protestantischen Professor der Universität Freiburg, den liebenswürdigen Dichter Georg Jacobi, hinzufügen können; aber in den Augen der Landstände wog ein solcher Landfahrer offenbar wenig im Vergleich zu einem Friseur, einem ansässigen Gewerbetreibenden und veritabeln Bürger. Die Stände fanden, daß nach wie vor alle politischen Gründe von der Toleranz abrieten; denn von dem Verlust der Glaubenseinheit befürchteten sie unter Berufung auf die Geschichte Zwiespalt und schließlich den Ausbruch bürgerlicher Kriege. Sie stellten die Forderung, daß das Toleranzedikt aufgehoben und in Zukunft wiederum nur Katholiken Bürger= und Untertanenrecht erteilt werde. — Es ist fast die einzige Forderung der Stände, die Leopold nicht erfüllt hat; denn wenigstens diesen Schritt rückwärts konnte der Fürst nicht machen, der sich als Großherzog von Toskana in ganz Europa als das Muster eines aufgeklärten Regenten hatte preisen lassen.

Ein Friseur also war einstweilen das ganze Ergebnis der Toleranz gewesen, und in ihm sah das Land Breisgau den Keim des Bürgerkrieges! Dieses Volk mußte erst eine härtere Schule, es mußte den Zusammenbruch aller alten Verhältnisse durchmachen, ehe es reif wurde zum Verständnis dessen, was ein Joseph mit dem Feuer einer starken Seele erstrebt hatte.

VII.
Krisis und Reaktion.

Bedenklich schwoll in den letzten Jahren Kaiser Josephs die Un=
zufriedenheit im Breisgau an. Die oberen Stäube, die Stück für
Stück von ihren Rechten und Einkünften sich entzogen sahen, grollten, -
und der Bauer, zu dessen Nutzen das alles geschah, nahm es gleich=
gültig in Empfang, während die kirchlichen Neuerungen seinen Un=
willen und Verdacht erregten. Den Ausschlag gaben zuletzt die mili=
tärischen Forderungen des Kaisers.[1] Seine hochfliegenden politischen
Pläne, sein unheilvolles Bündnis mit Katharina II. machten sie nötig.
Wäre diese Politik gelungen, so hätte sie allen seinen Neuerungen die
gültigste Rechtfertigung, die des Erfolges verliehen. Aber ein fast
unerklärliches Mißgeschick verfolgte ihn überall, ebenso wie seiner
Bundesgenossin, der großen Abenteurerin, in ihrem verwegenen Schick=
salsglauben das Glück immer treu blieb.

Nicht als ob nun die Gesinnung des Volkes in Vorderösterreich,
das mehr als irgend eine andere Provinz von Kriegsnöten heim=
gesucht worden war, an sich unkriegerisch gewesen wäre. Die
alten Traditionen der Schweizerkriege waren ebensowenig erloschen
wie die der Franzosenkriege. Selbst nach dem Bauernkriege hatte
man nur vorübergehend das Volk entwaffnet; schon im Laufe
des 16. Jahrhunderts war man wieder mit der Ausbildung von
Milizen vorgegangen, und wenn diese auch in den Stürmen des
dreißigjährigen Krieges zusammenbrachen und sich gegen die „Solda=
teska" nicht halten konnten, so war doch die Neigung zu bewaffnetem
Volkswiderstand gegen eindringende Feinde wach geblieben. Auch im
österreichischen Erbfolgekriege mußten die Franzosen, um sicher zu sein,
sofort mit der Entwaffnung des Volkes im Schwarzwald vorgehen.
Eben damals hatte freilich auch Waldshut in einem letzten Nachspiel
des Bauernkrieges 1745 die aufständischen Haufen der Salpeterer vor
seinen Mauern gesehen. In den Revolutionskriegen hat man sofort
wieder auf solche Milizen zurückgegriffen und die landständische Ver=
waltung hat hier einmal Hand in Hand mit der benachbarten
badischen ausnahmsweise energisch gearbeitet.

Weiter aber wollte man im Breisgau nicht gehen. Wie überall
hegten die Bauern geradeso wie die Landstände gegen die Vermehrung

des stehenden Heeres eine gründliche Abneigung. Es war eine schlimme Erinnerung, daß eine Zeitlang Freiburg einer der wichtigsten Waffenplätze Ludwigs XIV. gewesen war. Den Breisgauern war diese Festung doch noch teurer zu stehen gekommen als den Franzosen, die sie une des quatre folies de Louis nannten. Joseph nahm die Pläne Ludwigs wieder auf. Der berühmte Festungsbaumeister v. Bohn hielt sich längere Zeit in Freiburg auf und großartige Werke waren schon im Entwurf fertig; aber man ließ den Plan fallen, gewiß nicht zuletzt wegen der Abneigung des Landes. Als Besatzung stand im Breisgau das „löbliche Regiment Bender", eine Truppe alten Stiles, mit der nicht viel Staat zu machen war. Der ständige Konseß selber klagte über die vielen Weiber und Kinder, wie sie bei altgedienten Soldaten nach der milden Praxis jener Tage kaum zu vermeiden waren. Viele Soldaten trieben zugleich ein Handwerk; die anderen — so klagten die Behörden — brächten in die Garnison nur Hunger und Elend, und die Marschfertigkeit selber leide, da man doch auf dem Marsche „Kinder und Mutter samt der unter ihrem Herzen tragenden Leibesfrucht vor Hunger, Kälte und Blöße nicht verschmachten lassen dürfe".

Diese mehr menschenfreundlichen als militärischen Rücksichten mußten aufhören, als Josephs Politik das Regiment Bender in Bewegung setzte und bald nach Ungarn, bald in die Niederlande marschieren ließ. Das waren schließlich Berufssoldaten; aber ein Sturm des Unwillens ging durch das ganze Land, als Joseph im Jahre 1786 die Konskription, die Vorläuferin der allgemeinen Wehrpflicht, streng durchführte. Mißtrauisch und erbittert fügten sich einstweilen die Bauern, bald aber fochten sie die Genauigkeit der Listen an. Sie behaupteten: „Jene Offiziere wollten nur dem Monarchen einen schmackhaften Weihrauch streuen. Alle Krüppel, Untauglichen, befreiten Personen hätten sie ohne Unterschied aufgenommen." Hier, wo die Grenze so nahe war, begannen die jungen Burschen, voran die tauglichsten, die sich auch am bedrohtesten fühlten, sich durch die Flucht in die Schweiz der Aushebung zu entziehen. Die Ortsobrigkeit des oberen Rheinviertels, wo die Sachen am schlimmsten standen, erklärten, daß man brei Viertel von der Zahl, die in den Konskriptionslisten stünde, abziehen müsse, um zu dem wirklich verfügbaren Bestand zu gelangen. Außerdem hatte man für den ganzen Breisgau nur einen „Affentierungsplatz", Freiburg, zur Gestellung bestimmt. Die Ortschaften mußten die Kosten des Hin= und Hertransportes der jungen Leute, der unter Bewachung stattfand, tragen; sie behaupteten, daß sich diese von Waldshut aus für den Kopf auf 30 fl. stellten.

Der landständische Konseß hatte die ganze Maßregel anfangs nur für einen Druck angesehen, den der Kaiser auf sie ausübe, um die Stände zu größeren militärischen Aufwendungen zu nötigen. Sie hatten sich sofort erboten, das Regiment Bender ganz zu übernehmen und bis zu einer Friedensstärke von 2000, einer Kriegsstärke von 4000 Mann für den Ersatz zu sorgen. Im Jahre 1789, als der militärische Mißerfolg der Konskription augenscheinlich war, erlangten sie auch, daß die Kapitulation zwar nicht, wie sie wünschten, auf 8 Jahre, aber doch auf 6 bewilligt wurde. Indem man sie als die Regel annahm, berechnete man den jährlichen Ersatz auf 200 Mann, im Kriegsfall auf 500 Mann. Dafür verlangte aber auch der Kon= seß nach Ständebrauch die Verfügung über das Regiment. Nur aus Landeskindern solle es bestehen und Werbungen für andere Truppen sollten im Breisgau nicht mehr stattfinden. Nach Josephs Tode traten sie mit noch mehr Wünschen hervor: sie verlangten auch das Rekrutierungsgeschäft allein ohne Zuziehung der Kammer zu be= sorgen, und selbst die Regulierung der Marschrouten forderten sie für sich wegen der Vorsorge für die Verproviantierung.

Joseph aber hatte nur scheinbar in der Konskriptionssache nach= gegeben. Gleich nachdem er die Kapitulanten bewilligt hatte, forderte er, ohne sich auf weitere Verhandlungen einzulassen, ein weiteres Bataillon Reiterei von 400 Mann. Da brach der Unwille der Be= völkerung in offenen Ungehorsam aus. Am 1. Februar richteten sämtliche Städte, Bauerneinungen, Herrschaften des oberen Rhein= viertels, vertreten durch ihre Ortsobrigkeiten, eine Eingabe an den Kaiser, wie eine solche bisher noch nicht nach Wien gegangen war. Mit heftigen Worten wurden jene oben angeführten Beschwerden an= geführt und zum Schluß nicht nur der Verzicht auf das Bataillon Reiter, sondern auf die Konskription überhaupt gefordert, denn sie sei kostspielig, verhaßt, mache das Volk, dem sie einen wahren Schrecken einjage, feige und lasse es flüchten, verfehle also auch ganz ihren militärischen Zweck. Sie fügten unumwunden die Drohung mit der Revolution hinzu, die sie nur wenig mit der Bemerkung verschleierten: „Sie, die Obrigkeiten würden ja freilich selber dieser zuerst zum Opfer fallen; durch die Dürftigkeit des Volkes sei hier der Boden für die

Revolution mehr als anderwärts bereitet; die Ansteckung aus dem Elsaß finde fortwährend statt; man wisse, was in den Niederlanden geschehen sei, es bedürfe nur eines Funkens, und dieser sei die Forderung des Kavallerie-Bataillons".

Daß dies nicht leere Drohungen waren, zeigten die Vorgänge, die schon im Sommer zuvor sich in der Ortenau zugetragen hatten. Hierher war das Feuer der Revolution aus dem benachbarten Straßburg zuerst übergeschlagen. Die Bauern hatten sich zu Elgersweier zusammengerottet, ihre „alten Freiheiten" verlangt und waren dann in hellen Haufen gegen Offenburg gezogen. Aber der Statthalter der Ortenau und die Ratsherren der Reichsstadt hatten sie noch einmal beschwichtigt und sie waren auseinandergegangen. Der Kaiser hatte daraus Anlaß genommen, von den Kanzeln eine Vermahnung zur Ruhe verlesen zu lassen; er werde wie bisher die zur Wohlfahrt der Untertanen zweckmäßigsten Mittel erwählen.

Man wußte jedoch, daß mit den hartnäckigen Schwarzwäldern schwerer auszukommen sein würde als mit den Ortenauern. Die Freiburger Regierung riet zur Nachgiebigkeit: „In den Waldgegenden", schrieb sie, „sind die Leute viel roher und ungeschmeidiger als anderwärts. Ihre Gemüter sind unbändiger und mehr zu gewaltsamen Handlungen geneigt, ihre Lage und Denkart macht sie gefährlich, wo nur Anlaß zur Gärung sich einschleichen könnte."

Dieser Bericht (20. 3. 1790) ist schon an Kaiser Leopold gerichtet; und dieser säumte nicht, alles auf den alten Fuß zu setzen und auf die Konskription zu verzichten. — Seit dem 20. Febr. 1790 war Joseph nicht mehr unter den Lebenden. Wir wissen nicht, ob die Revolutionsdrohung der Oberländer noch zu den Ohren des Sterbenden gedrungen ist. Noch kurz zuvor hatte er eine dringende Bitte der Breisgauer Stände, daß er persönlich eine Deputation mit ihren Beschwerden empfangen möge, rundweg abgelehnt. Obgleich nun auch in Vorderösterreich wie in den Niederlanden und in Ungarn alles zu zerfallen drohte, ihn hätte es nicht in der Überzeugung wankend gemacht, daß er überall das Rechte gewollt und nur die unerläßlichen Mittel ergriffen habe.

Auch die Breisgauer Stände haben nicht umhin gekonnt, als sie jetzt in maßlosem Reaktionseifer die Zerstörung des ganzen Werkes Josephs forderten, noch einmal seine persönlichen Eigenschaften und den Hochsinn seiner Absichten zu rühmen. Die Universität bestimmte

den Protestanten Jacobi zum Redner bei der Gedenkfeier. Er hielt
freilich nur eine von jenen Gedächtnisreden, von denen Goethe sagt,
daß es das Unglück solcher Leute sei, die anders sind als andere, weil
sie anders sein müssen, daß hinterher einer kommt und beweist: Sie
waren wie andre gute Leute auch. Aber die persönliche Dankbarkeit
des harmlosen Dichters sprach aus den Worten: „Ich war einer der
ersten, an denen der aufgeklärte Monarch tätig bewies, daß er ent=
schlossen sei, verjährte Vorurteile zu verbannen und die mit der echten
Religion verschwisterte Duldung neben sich auf den Thron zu setzen".

Im Nachbarlande Baden aber hat Schlosser jetzt wohl das Beste
gesagt, was beim Tode Josephs gesagt worden ist. Da es Schlosser
stets für seine Pflicht hielt, seinen Freunden unangenehme Wahr=
heiten möglichst öffentlich zu sagen, kleidete er seine Gedenkrede in eine
scharfe Kritik derjenigen seines sonst innig geliebten Jacobi: Nicht
Lobreden auf die Großen, sondern Ermahnungen an ihre Untertanen
seien angebracht, damit sie in den Fehlern der Fürsten ihre eigene
Schuld erkennen; denn noch seien selbst die schlechtesten Regenten
immer gut geblieben, solange sie etwas vor Augen hatten, das ihnen
Ehrfurcht abgewinnen konnte. „Habe ein Regent seinem Volke seine
Rechte und Privilegien genommen, so solle sich nur immer das Volk
fragen, wie es selbst diese Rechte gebraucht hatte. Habe aber ein
Regent das Unglück gehabt, daß seine guten, gerechten und weisen
Absichten von seinem Volke nicht genug unterstützt worden sind, und
habe er diese Absichten nur verfehlt, weil er seinem Volke zu frühe zu
viel zutraute, dann werde es seinem Leichenredner leicht werden, bei
dem Grabe eines solchen Monarchen dem Volke zu beweisen, wie
nötig es ihm ist, sich Ehrfurcht zu erwerben, wenn es gut regiert sein
will. — Und so solle man an Josephs Grabe reden."

Es ging durch die ganze Welt das Bewußtsein, daß mit diesem
Tode die Tragödie eines Menschenlebens schließe, aber nur die
Wenigsten erkannten, daß dies in Wahrheit die Tragödie Öster=
reichs sei!

―――――――

Die Nachricht vom Tode des Kaisers bewirkte zunächst, daß man
überall wie von einem lähmenden Druck aufatmete. Nur zu gut
zeichneten die Breisgauer Stände die Stimmung des letzten Jahres
mit den Worten: „Die Beschwerden zusammengefaßt stiegen endlich

fast zur Unerträglichkeit und eine allgemeine mißmutige Niederge=
schlagenheit beklemmte die Herzen".

Die Nachricht vom Tode Josephs war kaum nach Freiburg ge=
kommen, so beschloß auch die ständische Vertretung, jene Deputation,
die er abgelehnt hatte, an den Nachfolger zu senden, um ihre Be=
schwerden vor den Thron zu bringen.[2] Sie forderte die unbedingte
Reaktion: Die landständische Verfassung sollte im Sinne einer völ=
ligen Scheidung von Kammer und landständischem Konseß wiederher=
gestellt, die Gerichtsverfassung unter Aufhebung der Berufung nach
Wien auf den alten Fuß gebracht werden. Das allgemeine bürger=
liche Gesetzbuch und auch das allzu strenge Kriminalrecht wünschten
sie für den Breisgau außer Kraft gesetzt zu sehen, dagegen sollten
Wuchergesetze und Zugrecht der Markgenossen wieder eingeführt, die
Verteilung liegender Güter eingeschränkt, der Zwang zur Anlage der
Stiftungs= und Mündelgelder in Staatsfonds wieder aufgehoben, da=
gegen die Auswanderung wieder erleichtert werden. Im Forstwesen
sollte wieder alles auf den alten Fuß gesetzt werden. Die Konskrip=
tion wurde für undurchführbar erklärt und statt ihrer beanspruchten
die Stäube wieder die alleinige Verwaltung des ganzen Militärwesens.
Wir kennen bereits die Beschwerden über die kirchliche Verwaltung:
die Verlästerung der Toleranz, die Forderung, daß der Religionsfonds
des Landes von dem allgemeinen abgezweigt werde. So wollte man in
allem hinter Joseph, in vielem noch hinter Maria Theresia zurück.
Nur die Aufhebung der Leibeigenschaft hat man doch nicht gewagt
zu denunzieren, und die Frondablösungen beruhten auf verbindlichen
Verträgen.

Dieses waren die Forderungen der Gesamtheit der Stände. Dazu
kamen die der einzelnen Kurien. Sie bewegen sich natürlich in der
gleichen Richtung. Der Prälatenstand fand sich durch jede der Reformen
in seiner Würde gekränkt, der Ritterstand in seinem Einkommen ge=
schädigt. Von beiden ward stürmisch die Herstellung sämtlicher Domi=
nialrechte verlangt: Abfahrtgeld und Weibereinkaufsgeld, die Fallrechte
nach der alten Berechnung, der Bezug der Salzakzise, die Auslieferung
der freiwilligen Gerichtsbarkeit und der abligen Priminstanz. Ja,
sogar das Bergregal wurde gefordert, indem man sich darauf berief,
daß es das Kloster St. Trudpert von jeher besessen habe; in Wahr=
heit hatte das Stift nur auf Grund einer umfassenden Urkunden=
fälschung des Mittelalters den vergeblichen Anspruch erhoben.

Einige besondere Forderungen der Ritter kennzeichnen die Art, wie sie ihre Würde einzuschätzen und sich den Lasten anderer zu entziehen pflegten: Die Herbeiziehung der Herrschaften zur Schulbaupflicht sei widerrechtlich; sie gebühre allein den Gemeinden. Ein besonderes Adelserbrecht, wodurch ihre Töchter gegen standesgemäßen Unterhalt oder entsprechende Abfindung von der Erbschaft zugunsten des Mannesstammes völlig ausgeschlossen würden, sei für sie nötig. Bisher forderte das Gesetz nur, daß die Töchter bei einer Heirat außer Landes auf die Erbschaft verzichteten, was natürlich nicht zum Schutze des einheimischen Adels verfügt war, sondern um kein Geld aus dem Lande gehen zu lassen. An der Militärpflicht hatten sie vor allem ihre Ausdehnung auf Livreebediente zu tadeln, die ihnen die Gelegenheit zu guten Domestiken entziehe und sie in den Augen der Nachbarn herabsetze. Besonders bäumten sie sich auf gegen die heilsame Verfügung, daß ihre Beamten sich einer staatlichen Prüfung unterziehen sollten. Sie sahen darin eine „entehrende Zumutung", auch abgesehen davon, „daß das Examen zu vielseitig und kostbar sei". Bisher war ja der Beamte das Organ ihrer Selbstherrlichkeit gewesen, und nun sollte er ein halber Staatsbeamter werden. Daher rührte auch das mißmutige Urteil der Ritterschaft: Überhaupt werde die ganze Stellung der Dominien durch die Fülle der neuen Verordnungen herabgewürdigt, die Beamten, die sie doch allein bezahlten, hätten fast nur mit landesherrlichen Tabellen, von denen manche sogar vierteljährlich abzuliefern seien, zu tun.

Rechnen wir hinzu, daß auch die Städte schlechterdings alle alten Privilegien, die der Kaiser verletzt habe, was tatsächlich alle alten Mißbräuche bedeutet, zurückforderten, so werden wir aus dieser gedrängten Übersicht der ständischen Wünsche wohl gerade zu der Ansicht gelangen, daß die große Mehrzahl der Neuerungen Josephs unerläßliche Forderungen, wenn nicht seiner eigenen, so doch der heraufziehenden Zeit waren.

Derjenige Staub aber, für den Joseph alles getan hatte, der Bauernstand, war kein „Landstand"; er kam nicht zu Worte. In seiner Verstimmung über Konskription und Erbrecht hat er dieses Recht diesmal wohl gar nicht vermißt; die Landstände konnten sich mit einem gewissen Recht darauf stützen, daß sie im Namen des ganzen Landes sprächen; aber schließlich war es doch klar, daß die Bauern die Zeche würden zahlen müssen.

Die Landstände hatten nach dem Grundsatz gehandelt, daß, wer stürmisch ungebührlich viel fordert, immerhin mehr erhält, als wer bescheiden weniges erbittet. Sie waren auf Gegenrede gefaßt und baten daher zunächst nur um eine Kommission, die mit Zuziehung der Deputierten und des landständischen Syndikus die Beschwerden prüfen solle. Kaiser Leopold aber, der ringsum das Revolutionsfeuer aufflackern sah, wählte den Weg, rasch zu bewilligen, was sich nicht wohl verweigern ließ, um die Gemüter zu beruhigen, und über das, was nicht bewilligt werden konnte, mit Stillschweigen hinwegzugehen. Auch in seinem Musterstaat Toskana, wo das Volk doch an Gehorsam von alters her gewohnt war, hatte er Widerstand genug, namentlich bei der Geistlichkeit gefunden; jetzt war er in Österreich entschlossen, alles, was sein Bruder aufgeregt hatte, zu beschwichtigen. So hatte er, den doch, soweit es seiner kalten berechnenden Natur möglich war, aufrichtige Freundschaft an Joseph band, den Wunsch des Sterbenden, daß er nach Wien komme, abgelehnt, und dies seiner Schwester Christine damit begründet: „er wolle sich nicht als Mitregent in die Geschäfte ziehen lassen, damit es nicht den Anschein gewänne, als ob er den nämlichen Grundsätzen huldige wie sein Bruder".

Schon nach kurzem Aufenthalt konnte die Deputation sehr zufrieden mit ihren Ergebnissen zurückkehren, und doch zeigte es sich, daß der Bau der altlandständischen und kirchlichen Verfassung, nachdem er einmal zertrümmert war, sich nicht mehr so leicht neu errichten ließ, und daß sich namentlich die soziale Entwicklung nicht mehr zurückschrauben ließ. Vergebens schmeichelte sich die Geistlichkeit, ihre eximierte Stellung wiederzuerhalten; sie blieb den Zivil- und Kriminalgesetzen des Staats unterworfen, ebenso wie die einmal getroffenen Verfügungen über die Einschränkung der geistlichen Gerichtsbarkeit und die staatliche Ordnung der Ehegesetzgebung blieben. Das Placet für die bischöflichen Erlasse, waren es auch nur die üblichen Fastenhirtenbriefe, übte die Regierung, die nicht aufhörte bureaukratisch zu sein, sogar recht kleinlich aus. Gar nicht ließ Leopold an dem Toleranzedikt rütteln, und allmählich gewöhnte sich die Bevölkerung daran, einige wenige Andersgläubige unter sich zu sehen. Im Jahre 1799 beschwerte sich der Pfarrer von Günterstal, daß die Wiedertäuferkolonie, die man in der Nähe auf einem wüsten Hofgut angesiedelt habe, schon viermal eine Generalversammlung aller ihrer Glaubensgenossen aus Badenweiler und Hochberg abgehalten habe. Aber Regierung und Grund=

herrſchaft nahmen ſich jetzt der fleißigen und ſtillen Leute an, und es
ſtellte ſich heraus, daß einer dieſer Verſammlungen, die mit Predigt
und Geſang begleitet waren, die Frau Äbtiſſin und die Nonnen, wenn
auch wohl nur aus Neugier, beigewohnt hatten. Man begnügte ſich,
darauf zu verweiſen, daß auch das Toleranzedikt die öffentliche
Religionsübung der Nichtkatholiken unterſage und daß die Wieder=
täufer eine ſolche auch nicht bedürften, da ja bei ihnen jeder Haus=
vater den Gottesdienſt vollziehe.[3]

Selbſt auf dem wichtigen Gebiet der Vorbildung der Geiſtlichen
ſchienen die Änderungen größer, als ſie es waren. Die Beſetzung der
Pfarrſtellen durch Konkurs, die ja nur den kanoniſchen Vorſchriften
entſprach, blieb im weſentlichen beſtehen. Das Generalſeminar freilich
wurde aufgehoben, aber es war erſichtlich, daß dabei mehr die finan=
ziellen Gründe als die Abneigung gegen die Lehrmethode mitſprachen.
Die theologiſchen Profeſſoren blickten auch weiterhin mit Stolz auf
dieſe Epoche einer rein ſtaatlichen Ausbildung des Prieſterſtandes,
die ihnen freie Hand gelaſſen hatte. Der Leiter des aufgehobenen
Generalſeminars Will, der freilich die rückläufige Bewegung mitmachte,
blieb der Vertrauensmann und Unterhändler der Regierung. Gerade
weil man jetzt in Wien wie in Freiburg entſchloſſen war, aus Revo=
lutionsfurcht aus Nachgiebigkeit gegen die Wünſche der Bevölkerung
und doch auch aus eigener Überzeugung dem Klerus möglichſt viel
einzuräumen und mit der Religioſität politiſch zu arbeiten, verhehlte
man ſich doch nicht, daß man dazu auch einen Klerus brauche,
der Achtung einflöße und daß dies der gegenwärtige nicht in genügen=
dem Maße tue. Leopold berief im Jahre 1793 den Präſidenten der
Regierung v. Sumeraw zu ſich und pflog mit ihm über dieſe Fragen
eingehendes Geſpräch. Auf ſeinen Wunſch faßte Sumeraw ſeine Vor=
ſchläge in einer Denkſchrift über die Aufrechterhaltung der Religion
in den Vorlanden zuſammen. Sie zeigt zum Überfluß, daß die
Bureaukratie Bureaukratie bleibt und erſt recht, wenn ſie fromm wird.[4]

Sumeraw geht von den Tatſachen aus, daß das Anſehen der
Religion für den Wohlſtand des monarchiſchen Staates notwendig
ſei, und daß zumal in den Vorlanden die niedere Volksklaſſe große
Verehrung für die Religion habe. Daraus erſchließt er die Not=
wendigkeit, mehr als bisher dafür Sorge zu tragen, welche Bücher in
die Hände des Volkes kommen, „da die gemeinen Leute mit dem einen
auch das andre wegwerfen". Daher habe ſich eine ſtrenge Bücher=

zensur nicht nur auf den Druck, was in einem untermischten Lande nicht viel nütze, sondern auch auf den Buchhandel zu erstrecken. Sodann sei strenge Aufsicht und Bestrafung bei allen Schmähungen gegen Religion, Offenbarung, Geistlichkeit nötig. „Das ewige Schimpfen über alles, was sich auf die Religion bezieht, ist die Hauptursache des Mangels an Geistlichen; es hindert die Jünglinge diesen jetzt am wenigsten geachteten Stand zu wählen. Solche Leute, die sich in den Wirtshäusern mit ihrem Unglauben brüsten, stören den guten Willen des gemeinen Mannes und machen ihn gegen alles aufsässig." Da die Quelle hiervon nur ein gewisser Stolz sei, solle man sie mit öffentlicher Verachtung und Schande belegen. Eine Regierungsverordnung soll Sonntags Kinderlehre und zweimalige Katechese in der Woche vorschreiben; ein Zwang für die Obrigkeiten zum Besuche des Gottesdienstes würde zwar sehr gehässig sein, aber eine Erklärung, daß der Kaiser es gern sehen würde, wenn die Beamten mit gutem Beispiel vorangingen, würde manchen hierzu von selbst stimmen.

Nachdem in diesen wohlbekannten Tönen die Gegenseitigkeitsversicherung von offizieller Frömmigkeit und Untertanengehorsam entwickelt ist, geht Sumeraw auf die Hauptfrage: Hebung des geistlichen Standes ein, und hier muß er doch wieder die Wege Josephs II. wandeln. Daß die ganze Gemeinde die Stolgefälle übernehme, scheint ihm unumgänglich nötig. „Denn", so ruft er aus, „es ist unbeschreiblich, wie sehr die bisherige Art, sich für christliche Liebesdienste mit einigen Kreuzern bezahlen zu lassen, den Pfarrer heruntersetzt. Dadurch wird unter unsrer Geistlichkeit ein gewisser Geist der Niederträchtigkeit unterhalten, das Volk im Vorurteil gegen sie täglich gestärkt und dem Pfarrer selbst oft der Mund gestopft, manche wichtige Wahrheit zu sagen." Wie es bei aller Religiosität mit der Achtung des Volks gegen die einzelnen Personen der Geistlichen bestellt war, sehen wir aus Klagen, daß Geistliche, die mit den Bauern im Wirtshaus zusammensitzen, bei ihnen keine Achtung genießen können, oder aus der Forderung eines Verbotes des Umherziehens ausschweifender brotloser Geistlicher im Lande; es müsse anderswo für die Verpflegung solcher bettelnden Geistlichen gesorgt werden. Alle Anstalten, die Ehre der Priester und die Religion zu erhalten, seien umsonst, wenn nicht für ihre Bildung gesorgt werde und ebenso heilig wahr sei es, daß sie diese nur in gut eingerichteten Erziehungshäusern erhalten könnten. Denn der Übergang vom Studentenleben zur Seelsorge sei zu

schnell; Gewöhnung zur Ordnung, zum Studieren und selbst Liebe zu
den Geschäften müssen jahrelang vorangehen. Daß dies der Zweck
des Generalseminars gewesen, wird wohl zugegeben, aber es habe
eben seinen Zweck verfehlt; und so erscheint Sumeraw es doch als
das Beste, sich mit dem Bischof von Konstanz in Verbindung zu setzen.
„Vielleicht erziele man Erfolge dadurch, daß das bischöfliche Seminar
in Meersburg besser eingerichtet werde", meint er resigniert. Weit
schärfer betonte Will, seine eigene frühere Tätigkeit verleugnend: Ein
staatliches Seminar werde immer das Schicksal des Generalseminars
haben; bei den Studien in Freiburg werde man es belassen müssen;
dagegen darauf bringen, daß nicht $3/4$ sondern $1^{1}/_{2}$—2 Jahre im
Meersburger Seminar zuzubringen seien. Einstweilen waren im Jahre
1790 nach der Aufhebung des Generalseminars nur die notwendigsten
Bestimmungen für die bischöflichen Anstalten getroffen worden, um der
Regierung eine Sicherheit zu geben, daß an ihnen die gleichen Lehr=
bücher wie an den Universitäten gebraucht wurden und daß nur Lehrer,
die an österreichischen Universitäten geprüft seien, angestellt würden.

Kaiser Leopold billigte durchaus die Ansichten seines Präsidenten,
nur setzte er nach seiner Weise öfters eine Empfehlung ein, wo jener
eine Verfügung wünschte. Ganz einverstanden war er mit der Ver=
schärfung der Zensur. Sie und die Spionage waren Mittel, an denen
schon früher die eifrigsten Bewunderer seiner Verwaltung starken
Anstoß genommen hatten. Unsäglichen geistigen und moralischen
Schaden hat dieses Florentiner System, das von Leopold an datiert,
Österreich zugefügt. Im übrigen ermächtigte er die Breisgauer
Regierung zu Verhandlungen über ein Seminar mit dem Bischof und
über die Ablösung der Stolgebühren mit den Gemeinden. Die einen
wie die andern hat man lässig geführt. Wir sahen schon, daß der An=
lauf, die Gebühren abzulösen, beim Widerstand aller Beteiligten rasch
erlahmte. Auf die Änderungen in der Vorbereitung der Geistlichen ging
der alte Bischof Rodt, der jetzt noch einmal gute Tage erlebte, natür=
lich gern ein. Bei den Verhandlungen zeigte die Regierung sich durch=
aus feindlich gesinnt gegen die Universität, welche allein die Fahne
des Josephinismus hochhielt. Die Zuwendungen für zwei neue Pro=
fessuren sollten dem Meersburger Seminar zuteil werden; namentlich
aber ging jetzt von ihr und nicht vom Bischof die Anregung aus, daß
ein bischöflicher Kommissar bereits an den Semesterprüfungen teil=
nehmen solle, um „die Aufsicht über die Lehrart im theologischen

Fache und die Sitten der theologischen Schüler auf sich zu nehmen".
Seine Besoldung erhielt dieser geistliche Aufpasser auf Professoren
und Studenten aus dem staatlichen Religionsfonds. Den Stadtpfarrer
von Freiburg erklärte die Regierung als ungeeignet für diesen Posten,
weil er selber ein Klient der hohen Schule sei, und etwas hämisch
freute sie sich noch, daß diese Maßregeln „wohl bei den lateinischen
Herren und auch am Hof mancherlei Anstoß erregen würden". Rodt
sagte sofort zu, und die Regierung begann auch mit den übrigen
Bischöfen Verhandlungen, um sie zu veranlassen, wegen Aufsicht
über theologische Lehrer und Schüler mit Konstanz gemeinsam vorzu=
gehen. Schließlich muß man aber doch, zwar nicht in Freiburg aber in
Wien, Bedenken getragen haben, mit einem der wichtigsten Grundsätze
Maria Theresias zu brechen.

Eins aber konnte damals noch niemand ahnen, daß nach wenigen
Jahren unter Dalberg und seinem Verweser Wessenberg gerade das Bis=
tum Konstanz die Trümmer des Febronianismus und Josephinismus
um sich versammeln sollte. Der erste Schritt hierzu war an sich der
harmloseste: die endgültige Abschaffung jener Feiertage, die schon Maria
Theresia, indem sie sich auf Papst Benedikt XIV. selbst berief, auf=
gehoben hatte, durch Dalberg im Jahre 1803. Trotzdem hat gerade
diese in die bäuerlichen Gewohnheiten einschneidende Maßregel den unzu=
friedenen Hauensteinern den ersten Anlaß gegeben, jene seltsame religiös=
politische Sekte zu stiften, die den Namen der Salpeterer von den
Aufständischen des 18. Jahrhunderts entlehnte.[5]

Es blieb noch die wichtigste der finanziell=kirchlichen Einrichtungen
Josephs, der Religionsfonds, bestehen.[6] Sofort hatte, wie wir sahen,
Leopold dem Wunsche des Landes gemäß den vorländischen Religions=
fonds von dem Hauptreligionsfonds in Wien getrennt, auf eine weitere
Zersplitterung in einem breisgauischen und schwäbischen Anteil ließ er
sich jedoch nicht ein. Am Ende des Jahres 1790 verfügte er, daß
der Ruralklerus, um die Seelsorger nicht in ihrem Unterhalt zu
schwächen, von der Aushülfssteuer zu 7½ % freizulassen sei. Die
Breisgauer Regierung, bei der in Geldsachen der Klerikalismus auf=
hörte, legte das Edikt dahin aus, daß nur der notwendige Lebens=
unterhalt, die Congrua freizulassen sei; der gesamte Weltklerus hin=
gegen richtete eine bewegliche Vorstellung an den Kaiser um völlige
Aufhebung der Steuer. Dazu war jedoch die Lage des Religions=
fonds, auf den nun einmal die wichtigsten Ausgaben der Kirche in

Vorderösterreich gegründet waren, nicht angetan. Mit der Erhebung
ging es freilich so langsam von statten, daß im Jahre 1792 der Pfarrer
von Herbolzheim ganz unbefangen die von ihm entrichtete Steuer
wieder zurückverlangte, „da er hinterher erfahren habe, daß alle oder
fast alle Pfarrer gemelte Steuer nur einmal pro 1789 bezahlt hätten
und sie gar nicht mehr geben wollten, und daß sie auch von den
Landständen nicht mehr dazu angehalten würden". Er wurde jedoch
von dem Vizepräsidenten Blauk auf das Sprichwort verwiesen: „Lang
geborgt ist, nicht geschenkt".

Blauk, der noch vor seinem Ausscheiden die Angelegenheiten des
Religionsfonds ordnete, verfuhr sehr milbe. Die Einkommen unter
700 fl. ließ er steuerfrei, das Einkommen armer Klöster wurde frei-
gelassen oder wie in Abelhausen aufs niederste berechnet, auch reiche
Abteien wie Waldkirch erhielten bedeutenden Nachlaß, oder wurden,
wenn sie wie St. Märgen die Konventualen meistens als Pfarrer
ausgesetzt hatten, nur mit einer geringsten Summe herbeigezogen.
Offenbar hatte die Trennung vom allgemeinen Religionsfonds diese
Herabsetzungen erst möglich gemacht, denen gegen das Ende des Jahrhunderts weitere folgten. Der Religionsfonds wirtschaftete nur anfangs mit einer Unterbilanz. Da die Pensionen für die Mönche und
Nonnen der aufgehobenen Klöster allmählich aufhörten, wurde seine
Lage immer günstiger.

Auch die Klöster gewannen durch die Reaktion nach Josephs Tode
nochmals eine Frist.[7] Die lästigen Bestimmungen, durch die ihnen die
Anzahl der Insassen sehr beschränkt und das für den Profeß erforder-
liche Alter erhöht wurde, fielen weg, besonders weil die Landstände
vorstellten: die Breisgauer, die ihre Kinder früh versorgt zu sehen
wünschten, schickten sie jetzt in ausländische Klöster.

Für die Stifter des Schwarzwaldes war am wichtigsten, daß sie
wiederum die Erziehung ihrer Klostergeistlichen in die Hand bekamen.
Schon 1790 wurde ihnen wieder erlaubt, eigene theologische Lehr-
anstalten zu errichten, nur mußten sie sich den allgemeinen Bestimmungen über Lehrbücher und Universitätsprüfung der anzustellenden
Professoren wie ihrer Kandidaten fügen. Auch die philosophischen
Semester, für die man 1791 noch die Universität vorschrieb, durften
im Kloster zurückgelegt werden, sobald dies nur 3 philosophische,
4 theologische geprüfte Professoren anstellte. Das war in der Tat
für eine isolierte Klosterschule eine starke Forderung, es wurde 1795

daher eine Versendung in andere Klöster, die einen genügenden Lehr= körper aufbringen konnten, gestattet. Denn vor dem Geist der Uni= versität trugen die Klöster eine begreifliche Scheu; sie fürchteten, daß der jetzt herrschende Hang nach Freiheit in den Jünglingen den Hang nach Unabhängigkeit erzeugen würde und daß sie, mit irrigen Grund= sätzen angesteckt, sich gegen die nötige klösterliche Disziplin sträuben würden. So wollten sie auch durchaus ihre Kandidaten nicht auf der Universität prüfen lassen. Sie sahen in dieser Bestimmung ein Zeichen ungerechtfertigten Mißtrauens, als ob sie noch ultramontanischen und andern veralteten Grundsätzen anhingen, deren man sie in früheren Jahren vielleicht nicht ganz ohne Grund beschuldigt hätte. Also machten jetzt selbst die Prälaten nach Gerberts Tode eine kleine Ver= beugung vor dem Geist der neuen Zeit und bezeugten sich ihre eigene Unschädlichkeit ebenso wie ihre frühere Rückständigkeit.

Die Regierung blieb bei ihrer Forderung und im Jahre 1802 kehrte sie auch zu der anderen zurück, daß den Klosterkandidaten der Eintritt erst nach Beendigung der philosophischen Universitätsstudien gestattet sei, weil ihr Charakter und Selbstdenken nur so gebildet werden könne; sie forderte zugleich jährliche öffentliche Disputationen. Aus diesem Erlaß suchte Wessenberg noch einmal die Gelegenheit sich zu schaffen, das Bildungswesen und die Prüfungen der Klöster in Abhängigkeit von der bischöflichen Gewalt zu bringen; und noch unmittel= bar vor der badischen Annexion und der Aufhebung der Klöster hat das Stift St. Peter hiergegen protestiert. — Diese schwäbischen Benediktiner blieben ihrer Geschichte treu bis zum Ende!

Unmittelbar nach Josephs Tod hatten Regierung und Landstände den Benediktinerabteien gar nicht genug Vorteile und neue Aufgaben verschaffen können. Sie sahen in ihnen nicht nur die Mitstände und nicht nur im Gegensatz zur Universität die sicherste Stütze des alten Systems, sondern sie bemerkten wohl auch mit Recht bei ihnen mehr Zucht und gelehrte Bildung als beim Weltklerus, den Sumeraw dem Kaiser mit so düsteren Farben abschilderte. Sumeraw und Will faßten den Plan, die Gymnasien ganz den Benediktinern einzuräumen. Will mußte Gerbert und dessen zweiten Nachfolger Rottler dafür zu ge= winnen. Er stellte, wenn auch in unverbindlicher Weise dafür den Erlaß der Religionsfondssteuer in Aussicht. Es sollten, so konnte es scheinen, die Mönche statt einer Steuer einen persönlichen Dienst leisten. Und die neue große Aufgabe, die so winkte, die auch erneuten Einfluß

sichern mußte, konnte den alten Fürstabt wohl locken. Schließlich
konnte man ohne Gefahr auch noch etliche Professoren aussetzen, nach=
dem man von jeher so viele Pfarrer ausgesetzt hatte, ohne daß das
Zusammenhalten der Konventualen darunter litt. Eine Konferenz der
Prälaten im Mai 1792 nahm den Antrag der Regierung an.

In Wien aber wollte man ein solches Abweichen vom theresia=
nischen Schulsystem nicht zulassen und ein Hofdekret verwies sogar die
Benediktiner aus dem Freiburger Gymnasium, nachdem sie dort schon
von der Regierung eingeführt waren. Aber auf jener Reise zum Hofe,
auf der Sumeraw Kaiser Leopold über die kirchlichen Zustände der
Vorlande unterrichtete, hat er auch diese Absicht durchgesetzt. Nur
von dem Steuererlaß war nicht mehr die Rede. St. Blasien erhielt
das Konstanzer Gymnasium für sich allein, indem zugleich Blank,
jetzt Konstanzer Stadthauptmann, die Oberleitung übernahm, die
übrigen Stifter das Freiburger. Während Joseph noch für die aus=
gesetzten Mönchspfarrer nach Möglichkeit klösterliches Zusammenleben
angeordnet hatte, wurde ein solches jetzt den Mönchsprofessoren streng
untersagt. Die äußere Reaktion hielt trotz allem die innere Umwand=
lung der Ansichten nicht auf. Und wenn die Prälaten so bereitwillig
sich der neuen Aufgabe unterzogen hatten, war nicht doch für sie das
Gefühl bestimmend gewesen, daß der Grundsatz Josephs gelte und daß
sie den Beweis für ihre Existenzberechtigung durch ihre allgemein
nützliche Tätigkeit erbringen müßten?

Fester wie seit langen schien die Stellung der Klöster als Land=
stände, als Grundherrschaften, als Bildungsanstalten begründet, die
Meinung des Landes und die Gunst des Hofes war ihnen zugewandt,
und doch blieb ihr Dasein erschüttert; zu stark hatte Joseph daran
gerüttelt. Auch der nüchterne Leopold wollte überall den Nutzen
sehen.[8] Bei den Franziskanern und Dominikanern in Freiburg sah
er ihn nicht; sie wurden in andern Klöstern ihres Ordens unterge=
bracht und ihr ganzes Vermögen der Universität mit Rücksicht auf
ihre bedrängte Lage zugewiesen. Die Dominikanerinnen auf dem
Graben in Freiburg wurden mit denen von Adelhausen vereinigt,
und der erweiterte Konvent verpflichtet, eine Mädchenschule zu halten.
Sofort im Jahre 1791 hatte Leopold den Breisgauer Ständen, deren
Wünsche er sonst in so vielen Stücken befriedigte, eine Umwandlung
der übrigen Frauenklöster in weltliche Damenstifte vorgeschlagen. Er
redete dabei nicht anders, als sein Bruder getan hatte. Er berief sich

auf die Erfolge, die er mit dieser Reform in Toskana gehabt hatte, wo freilich die Zustände in den Nonnenklöstern — der wackere Bischof Ricci, Leopolds Mithelfer, hat sie geschildert — ganz anders verwahrlost waren. Er trug der Regierung auf, den Landständen klar zu machen, wie nötig für die armen, abligen Töchter die Umgestaltung sein würde und wie gemeinnützig, ja wie unendlich vorteilhaft im Vergleich zu solchen untätigen Nonnenklöstern, wo die Nonnen ihr ganzes Leben mit Nichtstun zubrächten und eine Menge ausländischer Weibspersonen, die den inländischen Armen noch das dürftige Brot wegnähmen, ernährten. Die Landstände betonten in ihrer Antwort ganz richtig, daß zu abligen Stiften doch auch nur ablige Frauenklöster umgewandelt werden könnten. Bei diesen, Ohlsbach im Frickthal und Säckingen, war eigentlich nur eine Verschiebung der Regel nötig. Die übrigen 5 im Breisgau und Schwaben blieben auf ihr Fürwort im früheren Zustand.

Als die Stürme der Revolutionskriege über Vorderösterreich hingingen, als dann diese Provinz erst zum Versorgungsobjekt dann zum Tauschobjekt für die österreichische Politik wurde, war auch den Klöstern der Stab gebrochen. Schon im Jahre 1802 verhandelte man über den Plan, sie zur Entschädigung dem Malteserorden zuzuweisen. Vor dieser unwürdigen Phase ihres Daseins, zur Ausstattung müßiger Abliger, die mit leeren Traditionen spielten, zu werden, hat die Klöster, die erst wieder etwas geleistet hatten, als sie bürgerlich geworden waren, die Säkularisation bewahrt.

Die Zugeständnisse Leopolds II. haben die Kirche in ihrem alten Zustand zu sichern vermocht, sie vermochten ebensowenig die alte Verfassung auf die Dauer aufrecht zu erhalten.[9] Er bewilligte jener Deputation im Jahre 1790 die freie Wahl des Präsidenten der Landstände. Die Priminstanz und die freiwillige Gerichtsbarkeit versagte er der Ritterschaft anfangs noch, denn die Einheit der Rechtsverfassung wollte er nicht erschüttert sehen; er meinte, es genüge, wenn bei Vormundschaften und Erbteilungen das Adelsdirektorium zugezogen werde, aber auf eine klägliche Vorstellung der Ritter, daß ihnen damit nicht geholfen sei, weil sie von Domkapiteln und Malteserstellen ausgeschlossen blieben, gab er auch dieses Recht mit in den Kauf. Der Breisgauer Adel konnte sich wieder den Reichsunmittelbaren ebenbürtig fühlen. Sofort fingen die Stände wieder an, sich auch als ein regierendes Kollegium zu fühlen, was sie sich seit Maria Theresia abgewöhnt hatten. Schon

nach zwei Jahren hatte die Regierung zu klagen: Ohne Beitreibung
erhalte sie kaum noch je einen Bericht. Auch ihrem Präsidenten
wollten sie nicht zu viel einräumen. Der bisherige Vorsitzende des
Konsesses, Sumeraw, ermahnte sie, die Stelle des Präsidenten lebens=
länglich zu machen. „Andernfalls", so warnte er recht offenherzig,
„würde er ein Sklave seiner Votanten werden; die Kavaliere würden
ohnehin nur zu geneigt sein, die Präsidentenstelle oder vielmehr den
Gehalt derselben als eine Art von Präbende oder Freistiftung für den
Adel anzusehen. Um so schlimmer würde dies sein, wenn sie der Reihe
nach nach Umlauf gewisser Jahre sich darum bewerben könnten." Trotz
dieser Warnung beschlossen die Stände, diesen Punkt unbestimmt zu
lassen. Ihr Syndikus Dr. Baumann, der natürlich unter der Hand
der eigentliche Leiter der Angelegenheiten war, schrieb zwar aus Wien:
Sie würden mit solcher Unbestimmtheit gerade die Einmischung der
Regierung gewärtigen, die sie doch vermeiden wollten. Doch ließ
Leopold, der nur den Wunsch hatte, sich mit den Stäuben gut zu
stellen, auch diesen Punkt durchgehen. Vorsitzender wurde der bis=
herige Präsident der Ritterkurie, Freiherr von Baden, ein ruhiger
und geschäftskundiger, wenigstens nicht übermäßig in Standesvorurteilen
befangener Mann. Er blieb auch im Amte; denn die Zeiten waren
bald nicht mehr danach angetan, dieses Amt nur als Beutestück für
Kavaliere anzusehen.

Auf etliche Regierungsrechte mochte Leopold, ohne die Gefahr des
Widerspruchs zu laufen, verzichten; aber den Bauern zugunsten der
Dominien zu entziehen, was sie schon hatten, ja auch nur ihre durch
Joseph erweckten Wünsche zu beschwichtigen, war so gut wie unmöglich.[10]
Nur wenige Maßregeln Leopolds begrüßte der Bauer freudig: die Ver=
fügung, daß Mündel= und Stiftungsgelder wieder ungeteilt im Lande
bleiben sollten, und die Aufhebung der Konskription. Es blieb auch
weiterhin bei der alten Art der Ergänzung des Regiments Bender
und die letzte Forderung Josephs wurde dahin ermäßigt ($2^1/_9$ 1790),
daß der Breisgau nur in Kriegszeiten 200 Mann Reiterei zu stellen
habe. Verhängnisvoll aber war es, daß das Abzugsgeld von einem
Dominium ins andre, für das Gerbert einst vergebens gegen Joseph
gestritten hatte, jetzt von Leopold wieder bewilligt wurde, ja, es wurden
sogar die Gebühren aus den 5 vergangenen Jahren der Freiheit nach=
träglich erhoben. Auf Antrag des Pfandherren der Herrschaft Schram=
berg, des Grafen v. Bissing, dem Blank schon als Obervogt von

Hohenberg wenigſtens einige beſonders drückende Feudalrechte entzogen hatte, wurde auch der Bannwein wieder eingeführt. Bei dieſer Ge= legenheit ſtellte die Hofkanzlei für die Beurteilung der gutsherrlich= bäuerlichen Verhältniſſe den Grundſatz auf, den der Kaiſer billigte: „daß jene obrigkeitlichen Forderungen gegen Untertanen ohne Aus= nahme, welche auf rechtsbeſtändigen Urbarien oder Verträgen oder Urteilen vereinigt mit einem unfürdenklichen Beſitzſtand ruhten, ohne weiteres ſtatthaben ſollten, maßen anſonſten das für jeden Staat heilige Eigentumsrecht wahrlich zu ſehr gekränkt würde".

Auf das Eigentumsrecht alſo beriefen ſich beide Brüder; nur hatte Joſeph das „natürliche Eigentumsrecht" herſtellen wollen, unter Leopold galt wieder das hiſtoriſche, „unfürdenkliche, heilige Eigen= tumsrecht". Auf die Geſchichte ſollte ſich aber eigentlich doch nur der berufen, der geeignet und gewillt iſt, ſelber Geſchichte zu machen. Der rationaliſtiſche Leopold II. glaubte nicht einmal an die Grund= ſätze, die er vertreten mußte, und die Wiener Hofkanzlei ſchämte ſich etwas ihres Vorgehens. Als die Bauern der Abtei St. Peter ſich jetzt weigerten, das Abzugsgeld zu zahlen, ehe nicht die kaiſerliche Reſo= lution amtlich publiziert ſei, erklärte ſie den Ständen, daß ſie die Veröffentlichung nicht für zeitgemäß halte. Die Stände, deren letzter Fehler übertriebene Behutſamkeit war, erklärten jedoch dieſe Ängſtlichkeit für überflüſſig, nachdem doch ſo viele andere Änderungen des Kaiſers publiziert worden ſeien. Ihrem Verlangen konnte ſich die Regierung nicht entziehen, aber ſchon nach wenigen Jahren erhob ſich wieder über dieſe Frage eine nicht unbedenkliche Bewegung.[11]

Ein wohlhabender Bauer in Schlatt bei Freiburg, Joſeph Schumacher, heiratete eine reiche Bauerstochter aus der Herrſchaft Falkenſtein. „Je leichter es ihm deswegen hätte fallen ſollen, den Abzug zu entrichten, deſto unlieber bezahlte er ihn", wie der Konſeß der Herr= ſchaftsbeamten, der jetzt wieder regelmäßig als ſachverſtändige Au= torität gehört wurde, unwillig bemerkte. Der Bauer ging zum Advokaten nach Freiburg; und dieſer, Dr. Wieſer, mehr ein eifriger Anhänger der Joſephiniſchen Reformen als „ein neufränkiſcher Sans= kulott, der das Revolutionsſyſtem der Gleichheit liebgewonnen hat und alles auf ſeinen Maßſtab herabdrücken will", gab ihm den Beſcheid: „Das nützt nichts, wenn nicht das halbe Land aufſteht". Auch dieſer Rat ſchien dem Bauern plauſibel; er ließ ſich von Wieſer eine Petition aufſetzen, die gleich an den Kaiſer gehen ſollte; denn von Joſephs

Tagen her glaubte man, daß das der beste Weg sei, um Prinzipien=
fragen zu entscheiden. In ihr wurde als das Mindestmaß gefordert,
daß eine Verordnung Maria Theresias von 1753, die das Abzugs=
geld auf höchstens 3% nach Abzug aller Schulden und Kosten fest=
stellte, Gültigkeit erhalten sollte. Diese Verordnung war allerdings
erst von Wieser wieder aus den Akten ausgegraben worden. 28 Ge=
meinden des ebenen Breisgaus hatten schon unterzeichnet. Die Re=
gierung ließ es geschehen, „um nicht den Schein zu erwecken, daß sie
den Untertanen das Ohr des Kaisers gegen die Obrigkeiten versperre“.
Als aber das Gesuch auch im Schwarzwald und am Kaiserstuhl ver=
breitet wurde, wo die Bevölkerung ohnehin unruhig war, untersagte
sie die weitere Verbreitung.

Kaiser Franz I. aber stellte sich ganz auf die Seite der Herr=
schaften, welche erklärt hatten: 5% oder beim Wegzug ins Ausland
10% seien eine ganz mäßige Abgabe, obwohl der Ertrag beim
Steigen der Güterpreise sich viel höher als früher belaufe. Trotzig
pochten sie auf ihr Recht: „Unverletzbar ist jede Obrigkeit“ — worunter
sie sich hier selber verstanden —, „unverletzbar vollends das Recht
ganzer Stände, besonders dort, wo die Verfassung nicht auf ausdrück=
lichen Verträgen und Fundamentalgesetzen sondern auf dem Herkommen
beruht und der Einsturz droht, sobald dieses nicht mehr geachtet wird.“
Höhnisch wiesen sie jeden Anspruch der Bauern ab: „Wie kann der
Wille dessen, der die Verbindlichkeit auf sich hat, zum Maßstab des
Rechts gemacht werden? Wenn es darauf ankäme, daß der Bauer
nur zu dem verbindlich wäre, was er gerne tut, so würden seine
Verbindlichkeiten gegen den Landesfürsten und die nähere Herrschaft
auf wenig oder nichts reduziert werden.“ Die Bauern wurden in
Wien abgewiesen, ihr Advokat immerhin noch ziemlich gnädig zu
mehrerer Bescheidenheit ermahnt, aber auch den Herrschaften einge=
schärft, daß sie sich gegen ihre Untertanen nicht zu viel erlauben sollten.

Bald hier, bald da flackerten die Bauernunruhen auf und je
näher die Gefahr einer französischen Besetzung rückte, um so ängst=
licher wurden die Behörden.[18] Im Jahre 1795 forderten nach einem
Kriegs= und Mißjahr die Bauern auf der Mark, die dem Elsaß am
nächsten waren, in stürmischen Versammlungen in Gottenheim Er=
mäßigung aller Gülten und Pachten auf die Hälfte. Die Grundherren
hatten bereits, um den Sturm zu beschwören, ein Viertel oder ein
Drittel nachgelassen; jetzt klagten sie: kaum daß man dies angefangen

habe, sähen es die Bauern schon als ein Recht an. Erlange man
den Nachlaß von den Grundherren, so würde man das Gleiche bald
auch von den Gläubigern für die Kapitalzinsen fordern. Melancho=
lisch schlossen sie: „Sollten wir aber so unglücklich sein, daß dieses
Land von den Feinden erobert und besetzt würde, so ist ohnedem alles
verloren. Warum jedoch sollen die Grundherren schon vorher und
ohne Not ihre Sache verlieren?" Die Regierung wußte noch einmal
mit Milde die hochgehenden Wogen zu besänftigen, aber man erkennt
doch deutlich, daß der Breisgauer Adel inmitten dieser Pyrrhussiege
sich schon mit dem Gedanken beschäftigte, daß die Grundherrschaft
überhaupt vom Boden verschwinde.

Um zu retten, was zu retten war, gab es also doch keinen anderen
Weg als den der Ablösung und neuer gemilderter Verträge.[13] Wenige
Jahre waren erst nach Josephs Tode vergangen und schon wurde seine
Gestalt von den Bauern mit einem Mythus umgeben. Sie schrieben ihm
Reformen zu, die er gar nicht vollzogen hatte. Josephs letzte und
entscheidende Tat auf dem Gebiete der Agrarreform, das Steuer=
regulierungspatent für Böhmen, hatte selbstverständlich für den Breis=
gau keine Gültigkeit, es hätte hier auch keine Anwendung finden
können, aber die Nachricht davon war auch hierher gedrungen und die
Bauern waren der festen Ansicht, daß der gute Kaiser mit diesem
Patente zugleich ihre Drittelspflicht aufgehoben habe. Die Tätigkeit
des Untertanenadvokaten Stickler, der, nachdem sich die Hochflut der
Reaktion verlaufen hatte, wieder redlich bemüht war den Bauern im
Einzelnen zu helfen, wurde durch diesen Glauben ganz lahmgelegt.
Er selber veranlaßte 1795 eine kaiserliche Proklamation, daß jene
Voraussetzung durchaus irrig sei. Schon 1790 hatten sich die Bauern des
Stifts Waldkirch mit ihren Beschwerden über die Drittelsabgabe un=
mittelbar an Kaiser Leopold gewandt. Das Stift hatte sich ver=
antwortet: Alle anderen Dominialherren im Elztal, die Regierung einge=
schlossen, hielten es ebenso; aber aus seinen eigenen Ausführungen ging
hervor, wie drückend die Abgabe war: 5% wurden bei jeder Änderung
der besitzenden Hand, auch von der kleinsten Erbportion erhoben; das war,
wo das Besthaupt als Güter= oder Leibfall und das Abzugsgeld
hinzukamen, eine enorme Belastung. Dazu ergab sich, daß die Be=
amten durchweg kleinlich verfuhren, und daß viele Höfe zweimal dritteilig
waren. Da war es ein schlechter Trost, wenn das Stift sich historisch
ganz richtig darauf berief, daß das Drittelrecht einst als eine große

Wohltat empfunden worden sei, da die pflichtigen Güter erst dadurch erblich geworden seien. Was kümmerte sich der Bauer um eine Wohltat, die seinen Vorfahren vor 700 Jahren zuteil geworden war!

In Wien verschloß man sich nicht den Mißständen. Ein Entscheid des Hofrates ordnete schon 1792 an, daß überall bei Drittelsstreitigkeiten der Weg des Vergleiches einzuschlagen sei. Aber die Bauern, aufgeregt durch jenes falsche Gerücht, verweigerten den Vergleich, zugleich aber auch die Zahlung des Drittels selber. In dieser Notlage wandte sich die Regierung wieder an Blank, der sich auf seinen Ruheposten als Stadthauptmann von Konstanz zurückgezogen hatte; sie richtete zugleich ein Rundschreiben an die Dominien, in dem sie ihnen mit viel höflichen Umschweifen klar machte, daß schließlich doch dem Berechtigten nichts übrig bleibe, als neuen revidierten Verträgen zuzustimmen. Blank wagte hier so wenig wie bei der Frondumwandlung zu einer gesetzlichen Regelung zu schreiten. Die Mannigfaltigkeit der Verhältnisse ließ sie nicht rätlich erscheinen. In mühevoller, jahrelanger Arbeit wurde von Herrschaft zu Herrschaft die Umwandlung vollzogen. Doch ergaben sich schließlich allgemeine Regeln. Zuerst vertrugen sich die meisten Bauern von St. Peter mit dem Kloster, dann die der Herren von Schackmin bei Konstanz. Harte Mühe galt es St. Blasien mit dem Tale Oberriedt zu versöhnen, wo die Bauern ihre Häuser durchaus als fahrende Habe, die der Verdrittelung hier nicht unterlag, angesehen wissen wollten.

Unterdessen versteiften sich die Gemeinden des Dreisamtales und des Schwarzwaldes so sehr in ihrer Opposition, daß sie nahe an offnen Aufruhr streifte. Sumeraw schlug in Wien vor, alle Verhandlungen abzubrechen und es auf den Rechtsweg ankommen zu lassen. Das wußten Blank und der Untertanenadvokat doch noch zu vereiteln, denn die Herrschaften besäßen so viel rechtsbeständige Urkunden und verjährten Besitz, daß der Untertan beim Prozeß immer verlieren müsse. Mit dieser Drohung drang Blank durch. Für sämtliche Herrschaften dieser Landschaft erfolgte jetzt ein gemeinsamer Vergleich: Aller Drittelsbezug von Vermögen, das mit dem Hofgut in keiner Verbindung stehe, wurde untersagt, wo solcher bisher erhoben war, hatten die Bauern das Recht den Betrag zurückzufordern. Das Drittel vom Gut selbst wurde anerkannt, aber zugleich wurde eine Schätzungskommission unter Blanks Vorsitz eingerichtet, und da eine Verdrittelung nach dem Kaufwert zu ungünstig gewesen wäre,

follten zugleich die „Kindskäufe" vom Jahre 1700 an berücksichtigt
werden. Wir wissen, wie es mit dem kindlichen Anschlag im Schwarz=
wald zuging. Wo kein Widerspruch sich erhob, sollte der Regel nach
in jedem Tal, nachdem man erfahrene Schätzer gehört, der Wert des
Juchert Feld oder Wald nach drei Wertklassen festgestellt werden,
dabei aber nur die Ertragsfähigkeit und nicht etwa der vorhandene
Holzbestand zugrunde gelegt werden.

Besonders gehässig ist bei jeder Erbschaftsabgabe, die bäuerliche
Wirtschaften trifft, die Zufälligkeit der Erhebung. Im neuen Vertrag
ward selber eingestanden, daß bisher bei rasch sich wiederholendem Erbgang
ein Dominium wohl in kurzer Zeit den ganzen Wert des Hofes bezogen
habe. Daher sollte fortan das Drittel in eine laufende Abgabe, wo=
möglich als ein Zuschlag zur gewöhnlichen Korngült umgewandelt
werden, oder, wenn die Parteien dies ablehnten, doch auf lange Termine
von 20 Jahren verteilt werden. In Wien bestätigte man den Ver=
trag mit Freuden und erließ auf Blanks Vorschlag noch ein Drittel
der Ausstände. Allerdings begann Kaiser Franz I. das Edikt mit
einem scharfen Tadel der Breisgauer Regierung: Sie habe unrecht
daran getan, den Untertan, der nie sein eigener Richter sein dürfe,
nicht beim ersten Ungehorsam zur Zahlung anzuhalten. Gerade dadurch
würde man, sobald seine Beschwerden geprüft und richtig befunden
worden wären, den Weg zum gütlichen Vergleich erleichtert haben.

Man hatte es in Wien leicht, solche Weisheit zu predigen.
Schließlich zog man es auch hier vor, die Rädelsführer mit einer
bloßen Verwarnung zu bedenken, da man annahm, daß sie von
Winkelschreibern irregeführt seien; nur in die Schätzungs=Kommission
durften sie nicht gewählt werden.

Bei dieser Gelegenheit war man auch wieder auf die Mißstände
der anderen Erbschaftsabgabe, des Falles, aufmerksam geworden;
denn noch immer wurde dieser in den ritterschaftlichen und einigen
geistlichen Dominien in natura erhoben.[14] Seitdem das allgemeine
Gesetzbuch die eheliche Gütergemeinschaft aufgehoben hatte, hatten die
Herrschaften vielfach den Leibfall auch auf Ehefrauen, die früher davon
befreit waren, ausgedehnt. So waren, nachdem auch das Abzugsgeld
wieder eingeführt war, alle wirtschaftlichen Vorteile der Aufhebung der
Leibeigenschaft wieder rückgängig gemacht. Die Beamten der Dominien
selber, die sonst an keinem Übermaß von Humanität krankten, ver=
langten zur Entlastung der kleinen Leute eine Umwandlung des Leib=

falls in eine einprozentige Vermögensteuer bis zur Höhe von 20 fl.
Auch die Härten des Güterfalls, die Josephs Verordnungen mit
sich gebracht hatten, wollte man durch eine Änderung vermeiden,
durch die man den kleinen Besitz entlastete. Seit 1793 tagte bereits
eine gemischte Kommission der Breisgauer und der schwäbischen Stände
über diese Frage. Diese verfolgte freilich zugleich zugestandenermaßen
die Absicht, durch höhere Belastung der reichen Bauern für die Dominien
noch mehr herauszuwirtschaften als vorher. Die Vorbereitungen zogen
sich bis in die kurze Regierung des Herzogs von Modena hin und führten
zu keinem Ergebnis. Allein sie zeigten noch einmal, wie unfähig die
ständische Verwaltung war, von sich aus zu einem Fortschritt zu ge=
langen. Was nach Josephs Tode noch geschehen ist, hat nur die Notlage,
die Angst vor dem nahenden Umsturz von dieser starren Interessen=
vertretung erzwungen.

Der alte Bau wankte in allen Fugen; gern hätte man allein
den „neufränkischen Geist" hierfür verantwortlich gemacht, während
doch gerade die Revolution bei dem Volke im Breisgau die nationale
Abneigung, die in der langen Zeit des Bündnisses mit Frankreich fast
entschlummert war, und mit ihr den kriegerischen Sinn wiedererweckte.
Nein, es war Kaiser Josephs Geist, der nicht mehr zur Ruhe zu
bringen war! Man hatte ihn zu bannen geglaubt, und er kehrte
immer wieder. Er hatte sogar auf dem Konstanzer Bischofsstuhl
Platz genommen, er warb sich sogar im Breisgauer Adel Anhänger.
Unterdessen zerfiel das alte Reich, und diese Provinz, die für Öster=
reich nur den Zweck hatte, ein Bindeglied mit dem Reich zu sein,
war für den zentralisierten Kaiserstaat gleichgültig, wenn nicht lästig
geworden. Ungern trennte sich der Breisgau selber von dem Staate, an
den ihn viele ruhmreiche Erinnerungen, eine endlose Reihe guter und
böser Tage knüpften. Die Hauensteiner Bauern zumal konnten sich gar
nicht an den Gedanken gewöhnen, daß sie fortan nicht mehr gegen
den Doppeladler aufsätzig sein sollten. Bis zuletzt gab der Breisgau
die Hoffnung nicht auf, daß der Wiener Kongreß diese getreueste
Provinz der Krone der Habsburger zurückbringen sollte.

In dem neuen badischen Staat kam keine historische, wohl aber eine
geographische Notwendigkeit zum Ausdruck. Aber in diese Fragmenten=
sammlung zertrümmerter, unhaltbarer Staatswesen, die an die wohl=
geordnete, kleine Markgrafschaft angeschlossen wurden, brachte der
Breisgau allein eine ausgeprägte Eigenart mit, wie sie doch nur

die hiftorifche Tradition verleihen kann. Sogar die Landftände, fo
wenig fie dem neuen Ideal eines Parlaments entfprachen, waren immerhin eine Stätte politifcher Meinungsäußerung und Mitarbeit, wie
fie fonft am Oberrhein gänzlich unbekannt war, gewefen. Die
politifchen und fozialen Ziele, welche Kaifer Jofeph verfolgt hatte,
waren weiter, unruhiger, aufregender als die, welche in der fried-
famen, kleinen Markgraffchaft ein patriarchalifcher, aufgeklärter
Fürft hatte verfolgen können. Wohl haben überall die hiftorifchen
Zuftände der einzelnen Landesteile, die fich mit dem Boden felber
verbunden hatten, im neuen Staate nachgewirkt; aber welche politifchen
Traditionen hätten wohl die Pfalz, das Bistum Speier oder gar die
reichsgräflichen und reichsritterfchaftlichen Gebiete bringen können?
Nur zwei folcher Traditionen hat es im neuen badifchen Staat gegeben, die in feiner ganzen Gefchichte während des 19. Jahrhunderts
lebendig geblieben find: die Karl Friedrichs und die Kaifer Jofephs.

Anmerkungen.

Kapitel I.

[1] Briefe des Karbinals Robt an Maria Therefia. Breisg. Gn. Correspondenzen.

[2] Über die Finanzreform f. u. S. 16 f.

[3] Breisg. Gn. 2621, Beiträge zur Statiftik der vorberöfterreichischen Lande, zeigt, wie ärgerlich Schöpflins Darftellung im Breisgau aufgenommen wurde.

[4] Breisg. Gn. 2019.

Kapitel II.

[1] Für die Steuergeschichte des Breisgaus liegt das Material etwa ebenfo vollftändig wie für die Länder der böhmischen Krone vor. Eine eingehende Darftellung werde ich an anderer Stelle geben.

[2] Die ökonomische Gefellschaft. Ihre Akten und Sitzungsberichte. Breisg. Gn. 1060 und 1070.

[3] Die Verbefferungen der Landeskultur werde ich anderwärts eingehend behandeln.

[4] Feuerfozietät. Breisg. Gn. 1871, 1749.

[5] Über das Handelsfyftem der Kaiferin im Breisgau vergl. meine Wirtschaftsgeschichte des Schwarzwalds I. Kap. X, 4.

Kapitel III.

[1] Maria Therefia und Joseph II. ed. Arneth. II. 150—157.

[2] Über Blant (ober Blanc) geben die von Grünberg mir mitgeteilten Akten, was den äußeren Lebensgang und feine Tätigkeit als Obervogt von Hohenberg anbetrifft, eingehend Nachricht. Aus allen Zweigen feiner Breisgauer Tätigkeit liegt das nahezu vollftändige Material vor. Um fo feltfamer mag das Urteil erscheinen, das fpäter Dalberg über ihn fällte, der doch in Konftanz in ihm den einzigen gebildeten Umgang fand. Seine Anficht, daß er nur bei Maria Therefia in hoher Gunft geftanden habe, während ihn Joseph wegen eines Hanges zu beftändiger Intrige gehaßt habe, wird durch die Tatfachen widerlegt.

[3] Aufhebung der Leibeigenschaft. Breisg. Gn. 139, 192. Schuttern, Kop.-B. 11 375.

[4] Abzug. Breisg. Gn. 85, 425, 529, 2387.

⁵ Prozeß der Gemeinde Schwerstetten. Wien, Archiv des Ministeriums des Innern.

⁶ Die Fallgebühren. Breisg. Gn. 603, 1440, 1483.

⁷ Die Schupflehen. Breisg. Gn. 502, 862. Schuttern, Kop.-B. 1375.

⁸ Die Erblehen, Fronbablösung. Breisg. Gn. 525, 3075.

⁹ Breisg. Gn. Gemeinden.

¹⁰ Vergl. Wirtschaftsgeschichte des Schwarzwalds.

¹¹ Zugrecht der Markgenossen. Breisg. Gn. 669, 129.

¹² Über die nachbarlichen Streitigkeiten vergl. meine Schrift: Schlosser als badischer Beamter.

¹³ Über die Geschichte der Forsten im Breisgau, für die ein außerordentlich reiches Material vorliegt, werde ich anderwärts handeln.

¹⁴ Getreidehandel und Magazine. Breisg. Gn. 3008, 1513, 1405, 1566, 1399.

¹⁵ Stiftungsgelder und Leihbank. Breisg. Gn. 2358, 1377, 1476.

¹⁶ Die Rückzahlungssperre. Staatsanleihen. Breisg. Gn. 1486.

Kapitel IV.

¹, ² Aus dem großen Material über die Beschwerden, die das Allg. Gesetzbuch hervorrief, hebe ich hervor: Breisg. Gn. 534, 2815, 765, 671, 582.

Kapitel V.

¹ Über die früheren Verhältnisse der Prälaten zur Landesherrschaft und zum Bistum werde ich an anderer Stelle handeln.

² Zum landesherrlichen Placet cf. Geier 15.

³ Zur Jurisdiktion der Geistlichen cf. Geier 48.

⁴ cf. Geier 132 f.

⁵ cf. Geier 17.

⁸ cf. Geier 124.

⁹ cf. Geier 182.

¹⁰ cf. Geier 189.

¹¹ Über die versuchten Finanzreformen und die Neugestaltung der Verwaltung nach dem 30jährigen Krieg werde ich anderwärts handeln.

¹² cf. Geier 116, 142, 168.

¹³ Breisg. Gn. 2019.

¹⁴ Auf die Vorgänge bei Aufhebung der Gesellschaft Jesu werde ich anderwärts zurückkommen.

Kapitel VI.

¹ cf. Geier 54. — ² cf. Geier 20 f. — ³ cf. Geier 52 f. — ⁴ cf. Geier 58. — ⁵ cf. Geier 60. — ⁶ cf. Geier 201 f. — ⁷ cf. Geier 110. — ⁸ cf. Geier 173 f. — ⁹ cf. Geier 198. — ¹⁰ cf. Geier 122 f. — ¹¹ cf. Geier 161 f. — ¹² cf. Geier 147 f. sehr unvollständig. — ¹³ cf. Geier 208 f.

Kapitel VII.

1 Breisg. Gn. Militärsache.
2 Deputation der Landstände. Breisg. Gn. 3061.
3 Wiedertäufer 1 Breisg. Gn. 2312.
4 Denkschriften Sumeraws und Wills. Breisg. Gn.
5 cf. Hansjakob: Die Salpeterer.
6 cf. Geier.
7 cf. Geier.
8 Breisg. Gn. 12, 13.
9 Breisg. Gn. 445.
10 Breisg. Gn. 2350.
11 Breisg. Gn. 521.
12 Breisg. Gn. 753.
13 Breisg. Gn. 192, 2352, 689.
14 Breisg. Gn. 245.

Carl Winter's Universitätsbuchhandlung in Heidelberg.

Neujahrsblätter
der
Badischen Historischen Kommission
Neue Folge.

Jedes Heft 1.20 Mk.

Carl Winter's Universitätsbuchhandlung in Heidelberg.

Soeben wurde vollständig:

V. Teil 1891 – 1901

der

Badischen Biographien

Im Auftrag der Badischen Historischen Kommission

herausgegeben von

Fr. von Weech und A. Krieger

Preis des ganzen Bandes 23.40 Mk. Auch einzeln in Lieferungen zu je 2 Mk.
Preis der 11. Lieferung 3.40 Mk.

In diesem Bande gelangen ausführliche Biographien folgender Persönlichkeiten zur Veröffentlichung:

K. J. Ummann, A. Urmbruster, A. W. Freih. v. Babo, L. H. J. A. K. Freih. v. Babo, Großh. Haus Baden, S. Baer, K. A. L. Baer, H. Baisch, K. A. Barack, M. Barack, A. Bassermann, E. Baumann, W. Bäumer, H. Baumgarten, L. Baumgartner, K. Baumstark, H. Baur, E. Bechert, B. v. Beck, W. J. Bebaghel, A. v. Berckholz, M. Bernays, J. H. Ch. W. Beyschlag, S. Blatz, R. Boch, P. Borgmann, K. ten Brink, K. J. Brulliot, F. v. Chelius, M. v. Chelius, A. K. L. Claus, H. P. de Corval, O. Devrient, L. Diemer, J. Dienger, J. Ch. Diez, N. Diez, M. H. Diz, K. H. Dreyer, A. L. Drouet, L. Dürr, W. Dürr, G. Freih. v. Dusch, K. P. Dyckerhoff, M. Ecker, G. M. Eckert, P. Egenolff, J. Eichrodt, L. Eichrodt, H. Eiselein, K. Eiselein, Ch. J. W. Eisenlohr, G. Ekert, B. Erdmannsdörffer, A. O. v. Essenwein, S. Esser, K. G. Fecht, J. K. Fendrich, A. Föhlisch, A. Frech, K. Freudenberg, J. N. Fromberg, E. Frommel, M. Frommel, W. Frommel, K. Egon III. Fürst z. Fürstenberg, K. Egon IV. Fürst z. Fürstenberg, E. Prinzessin z. Fürstenberg, E. Gageur, B. Gemehl, Ch. W. Gerbel, K. Geres, G. Gerhard, V. Gervinus, K. Gleichauf, A. v. Glümer, A. Goegg, T. Goßweyler, H. Götz, F. Grasbof, M. Gratz, K. v. Grimm, G. F. Grosch, W. Größer, J. Größer-Bost, S. Gruber, K. Gruber, E. v. Gulat-Wellenburg, A. Gutmann, J. Gutmann, S. Gutsch, K. Haas, E. Häberle, P. P. E. Habingsreither, K. Hammer, A. Hanser, H. Hardeck, A. v. Hardenberg, W. Harder, K. Hartfelder, S. Hauser, S. S. Hebting, A. Heer, S. Heiligenthal, M. Heinsbeimer, K. F. K. Heinze, A. Helbling, G. Helm, K. Helm, A. v. Helmholz, A. v. Helmholz, H. Helmle, H. Hertz, A. Hoffmann, A. Hofmann, K. Holsten, K. Holzberr, A. v. Horn, S. Freih. v. Hornstein-Hohenstoffeln-Binningen, J. Jolly, L. F. J. Jolly, A. Jörger, K. F. W. Issel, F. L. A. Jungbanns, L. Just, K. Rab, W. Ralliwoda, E. Ramm, K. Rappes, A. Raufmann, A. Reller, S. Riefer, A. Rnop, G. A. Roellreutter, J. Rönig, J. H. Roopmann, H. Ropp, F. Rössing, J. Rössing, A. Krafft, E. F. Krafft, K. v. Kraus, F. X. Kraus, M. Krauth, T. Krauth, W. Kühne, B. Kurner, A. Lamey, K. P. F. Landfried, H. Lang, J. G. Längin, W. Lauter, J. Leferenz, L. Leiner, S. Levi, J. Lindau, L. W. Löblein, W. Lübke, H. Luggin, H. Maas, J. Malsch, A. Freih. Marschall v. Bieberstein, H. Maurer, K. A. Mayer, A. Mays, E. Meier, K. Mendelssohn-Bartholdy, G. Meyer, F. Mittermaier, E. Moll, W. Mörike, M. O. Mühlmann, M. Müller, N. Näf, L. Neumann, H. Nopp, G. v. Peternell, H. Pfaff, J. Pfister, H. Plank, P. Platz, K. Pohl, G. A. Poinsignon, S. v. Preen, B. A. Prestinari, J. N. Prestinari, A. Rapp, O. Rayle, E. v. Regenauer, L. Regensburger, M. Reichert, K. Reul, F. X. v. Riedmüller, L. Riegel, E. Robde, L. H. Rolfus, J. Rosenbain, G. v. Rotteck, K. Roux, Freih. Rudt v. Collenberg-Eberstadt, K. Salzer, J. V. Sarrazin, K. Sayer, A. Schäfer, K. H. Schaible, M. Schauenburg, K. Schellenberg, L. Schenk, H. Schill, K. Freih. Schilling v. Canstatt, K. Schmezer, K. J. Schmitt, K. H. Freih. Roth v. Schreckenstein, M. Schrickel, A. Schroedter, K. Schuberg, H. Schwoerer, W. Sehring, K. Seiz, H. Serger, H. v. Seyfried, H. Siegel, L. Sobncke, A. Spengler, A. Stengel, J. Stöckle, O. Stölzel, K. L. v. Stoesser, A. Streble, H. Sußmann, H. Szubany, E. Tenner, G. A. Tenner, K. Thiry, G. Toepke, L. K. H. Turban, H. Freih. v. Türckheim z. Altdorf, K. Ullmann, J. P. S. A. Freih. v. Ungern-Sternberg, A. Vischer, W. Volz, A. Walli, G. Wallraff, W. Wattenbach, J. Wedekind, K. F. Weickum, M. Weill, J. B. v. Weiß, G. Wiedemann, Ch. Wiener, E. Winkelmann, C. Winter, H. A. Wittmer, K. Wörter, S. A. Zell, H. Zimmer, K. S. Zimmermann, E. Zittel. — J. Allgeyer, L. Brentano, K. W. Bunsen, Hauser, K. Joerger, K. G. Knies, Lenz-Heymann, V. Meyer, T. Süpfle, H. v. Treitschke, P. Tritscheller, E. Vierordt. — Totenliste.